Chère lectrice,

En ce mois de février — un joli mois pour les amoureux —, je suis sûre que vous êtes impatiente de découvrir les nouveaux romans de la collection Horizon que j'ai spécialement sélectionnés pour vous. Que vous dévaliez les pistes de ski ou que vous vous trouviez bien au chaud devant une cheminée, vous allez partir à la rencontre de héros aussi attachants qu'émouvants…

Dans *Les vacances de l'amour* (n° 2049), deuxième volet de votre série « La magie de l'amour », vous ferez la connaissance du séduisant Dr Vargas qui, alors qu'il pensait passer des vacances tranquilles, va… tomber amoureux ! Dana Taylor, elle aussi, voit ses projets contrariés lorsqu'elle apprend, contre toute attente, qu'elle est enceinte… (*Le bonheur d'être maman*, n° 2050). Sans parler de l'expérience que va faire Tanner McConnell quand son regard va croiser pour la première fois celui de Lilian Stephen, dans *Un gentleman de cœur* (n° 2051). Enfin, dans *Un papa exemplaire* (n° 2052), vous verrez comment le cœur de Michael Gallagher, qui se croyait insensible à toute émotion, va chavirer pour la jolie Angela…

Bonne lecture et bonne Saint-Valentin!

La responsable de collection

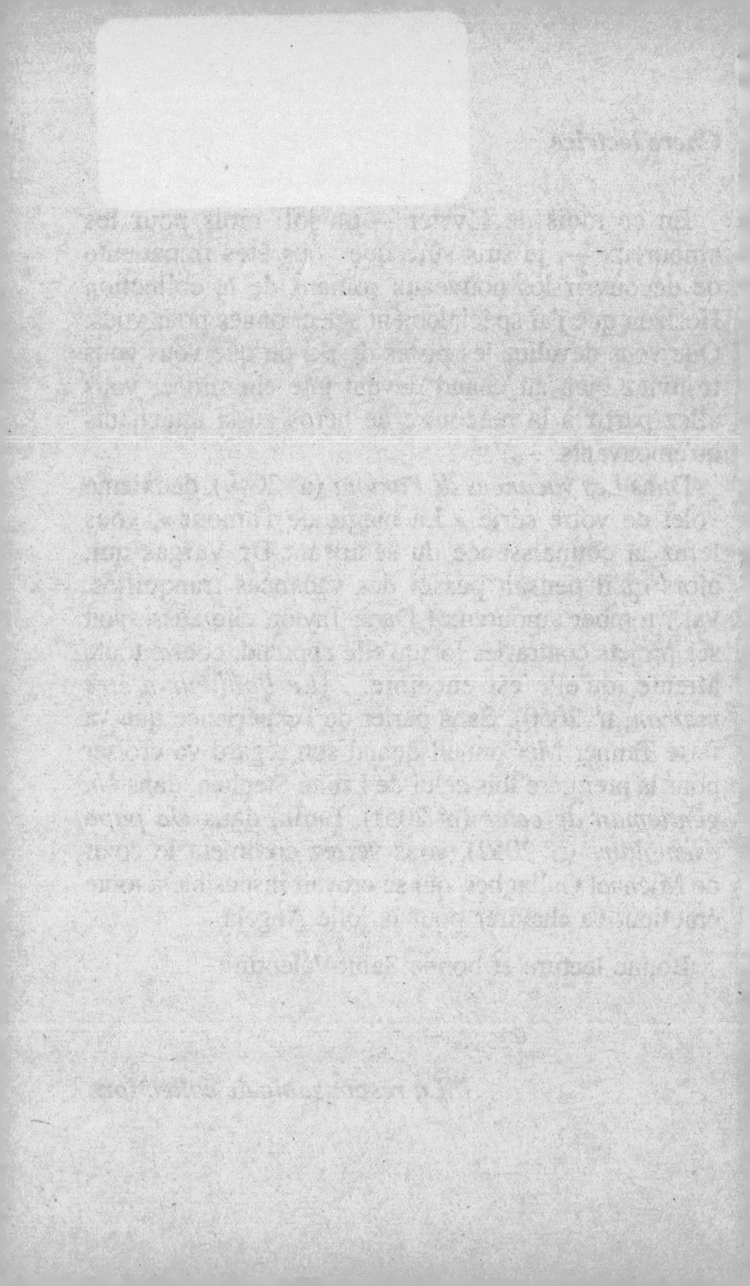

Les vacances de l'amour

LINDA GOODNIGHT

Les vacances de l'amour

COLLECTION HORIZON

éditions Harlequin

Cet ouvrage a été publié en langue anglaise
sous le titre :
RICH MAN, POOR BRIDE

Traduction française de
CAROLE PAUWELS

HARLEQUIN®

est une marque déposée du Groupe Harlequin
et Horizon® est une marque déposée d'Harlequin S.A.

Originally published by SILHOUETTE BOOKS,
division of Harlequin Enterprises Ltd.
Toronto, Canada

83-85, boulevard Vincent-Auriol, 75013 PARIS — Tél. : 01 42 16 63 63
Service Lectrices — Tél. : 01 45 82 47 47
ISBN 2-280-14466-2 — ISSN 0993-4456

Prologue

Meredith Montrose mit une touche finale à son maquillage et se prépara mentalement à affronter une nouvelle journée aux commandes de La Luna, l'un des complexes hôteliers les plus réputés du sud-ouest de la Floride.

Son corps perclus d'arthrose la faisait horriblement souffrir, et elle soupira en appliquant du blush sur ses joues flétries. Qui aurait pu croire que cette vieille femme qui lui faisait face dans le miroir n'avait que vingt-neuf ans ?

Vingt-neuf ans.

Et pourtant, c'était vrai. Bien qu'elle ne parvînt toujours pas à admettre que Lissa Bessart Piers, sa tante bien-aimée et marraine, ait pu faire une chose pareille, les faits étaient là. Tante Lissa lui avait bel et bien jeté un sort pour lui apprendre l'humilité et la compassion envers les personnes âgées. Tout cela parce qu'elle avait tendance à se montrer parfois un peu égoïste et coléreuse, et qu'elle avait tenté de saboter le mariage de son père avec une femme plus vieille que lui !

Le délai pour briser le sort s'amenuisait à une vitesse vertigineuse. Plus que quelques mois pour libérer son corps ravissant de cette carcasse ignoble et douloureuse. Plus que quelques mois pour accomplir la rude tâche de marier vingt et un couples.

Heureusement, le plus dur était fait, et il ne lui restait plus que quatre unions à provoquer. Et alors, elle redeviendrait enfin elle-même : la ravissante et brillante princesse Meredith Montrose Bessart de Silestia.

Mais si elle échouait, elle resterait pour toujours prisonnière de ce corps, sous l'identité de Merry Montrose, directrice d'hôtel, et jamais elle ne reverrait sa famille, ni sa terre natale bien-aimée.

1.

Cathie Ellsworthy Fernandez se hâta de déposer des sachets de thé dans la chambre 12, une bouteille d'eau minérale dans la 7, et se rua dans l'ascenseur. Elle atteignait le rez-de-chaussée quand son biper se mit à vibrer, pour la centième fois au moins. Avec un soupir, elle consulta le message : « serviettes pour l'appartement en terrasse ». Un coup d'œil à sa montre lui apprit qu'il lui restait cinq bonnes minutes avant de prendre son service de maître nageur à la piscine, et elle se dirigea au pas de course vers la lingerie.

Les bras chargés d'une pile d'épaisses serviettes blanches brodées d'un candélabre, le logo de l'hôtel, Cathie salua quelques clients tandis qu'elle faisait le chemin en sens inverse vers l'ascenseur. La suite, située au même étage que son minuscule appartement, était vide le matin même, et elle ignorait qu'un nouveau client était arrivé.

Elle frappa discrètement à la porte. Puis, comme elle n'obtenait pas de réponse, elle insista — un peu plus fort cette fois —, et finit par utiliser son passe.

Le salon, décoré dans des teintes neutres, respirait le luxe et l'élégance et il était à lui seul plus grand que l'appartement qu'elle partageait au Texas avec son défunt mari, José, et la mère de celui-ci, Maria. Bien plus grand aussi que la chambre de bonne qu'elle occupait à l'hôtel avec Maria.

Elle ne se plaignait pas de son sort ! Cela ne lui ressemblait pas. Elle était même très heureuse de pouvoir résider sur place. Ainsi, elle avait plus de temps à consacrer à sa belle-mère, dont l'état de santé était préoccupant.

Cathie traversa le salon, puis la chambre, et poussa la porte de la salle de bains.

Soudain, elle s'interrompit, la bouche grande ouverte, incapable de dire quoi que ce soit. Les yeux ébahis, elle fixait l'homme qui lui faisait face, totalement nu. Elle ne put s'empêcher de s'attarder sur les cuisses musclées, le ventre dur et les pectoraux saillants de ce monsieur. Puis son regard remonta vers son menton volontaire, sa bouche charnue et sa chevelure en bataille, toute humide.

— Que voulez-vous ?

Loin de paraître gêné, il semblait au contraire très satisfait de l'effet qu'il lui faisait. Il connaissait manifestement le pouvoir de son charme et ne devait pas hésiter à en jouer avec habileté.

Troublée par l'éclat de son regard, et par son demi-sourire qui laissait entrevoir ses dents très blanches et faisait irrésistiblement penser à un loup en quête d'une proie, Cathie recula vers la porte, tout en lui tendant les serviettes à bout de bras.

— Je suis la femme de chambre, monsieur…

Elle fouilla sa mémoire à la recherche du nom de ce client. Mais elle ne le connaissait pas. De toute façon, pour le moment, elle ne savait même plus comment elle s'appelait.

— Je ne savais pas, bafouilla-t-elle. Je pensais que vous étiez… Je suis désolée.

L'homme lui arracha les serviettes des mains et eut la décence, un peu tardive toutefois, de masquer ce qui devait l'être.

Un nom, qu'elle avait aperçu le matin même

sur le registre de l'accueil, fusa soudain dans l'esprit de Cathie. Diego Vargas.

— Je m'en vais, monsieur Vargas.

Elle fit brusquement volte-face, se tordit la cheville et poussa un petit cri.

— Attendez ! l'arrêta-t-il. Qui êtes-vous exactement ? Que faites-vous dans ma chambre ?

Il était sourd, ou quoi ? Elle venait de le lui dire.

— Je suis la femme de chambre, monsieur.

— Et toutes les femmes de chambre de cet hôtel font leur service en maillot de bain ?

Oh non ! Elle avait complètement oublié sa tenue. La honte lui empourpra les joues, tandis que son pouls s'emballait.

— Je suis aussi maître nageur.

Il leva un sourcil étonné.

— Et aussi serveuse, et barmaid, et…

Elle bégayait. Comment expliquer — alors qu'elle avait l'esprit troublé par cette rencontre inattendue avec l'homme le plus fascinant qui lui ait été donné de voir depuis Antonio Banderas dans Zorro — qu'elle faisait à peu près tout dans cet hôtel pour payer les coûteux traitements de sa belle-mère ?

— Et aussi masseuse.

— Vraiment ?

Il l'observait d'un air vaguement soupçonneux, comme s'il ne croyait pas un traître mot de ses explications, puis elle vit s'allumer une flamme étrange dans ses prunelles noires. Sous ce regard brûlant, son maillot une pièce rose vif lui parut soudain d'une indécence outrageante.

— Vous êtes une femme très occupée, ironisa-t-il. Et que faites-vous d'autre pour vos clients ?

Il ne cessait de la fixer, ce qui en soi était déjà très agaçant. Mais ce qui la dérangeait le plus, c'était de le trouver si séduisant, de ne pouvoir s'empêcher d'admirer ce corps ferme et cuivré constellé de milliers de gouttelettes étincelantes.

— Tout ce que vous voudrez.

Oh, Seigneur ! Ce n'était pas du tout ce qu'elle avait voulu dire !

— Vraiment tout ?

La question contenait une note vaguement insultante, et une étincelle de rébellion passa dans les yeux de Cathie. Elle aurait voulu s'expliquer, voire le remettre à sa place, mais elle était incapable de raisonner. En outre, une querelle avec un client risquait de lui coûter sa place.

— Oui. Non. Je veux dire... Servir et faire plaisir est notre devise.

Bon sang ! Elle détestait se sentir aussi vulnérable.

Avec la grâce et la dignité d'un animal blessé, elle choisit la solution la plus expéditive : elle se rua vers la sortie.

Diego suivit la mystérieuse inconnue à travers la suite, bien déterminé à découvrir la véritable raison de sa visite. Habitué aux ruses que les femmes, attirées par la fortune des Vargas et sa situation de médecin, déployaient pour faire sa connaissance, il était en effet devenu méfiant. Et les explications embarrassées que lui avait fournies cette naïade en maillot de bain rose n'étaient pas pour lui inspirer confiance.

Tandis que celle-ci se ruait vers l'ascenseur, il s'aventura de quelques pas dans le couloir, puis se souvint qu'il était nu. Vaguement embarrassé, il battit en retraite dans sa suite et claqua la porte.

Situé sur une île privée à laquelle on ne pouvait accéder que par un ferry réservé aux clients, le complexe hôtelier La Luna était un endroit assez clos. Tôt ou tard, il se retrouverait face à l'inconnue et il exigerait des explications.

Si elle était une aventurière, ce qu'il suspectait fortement, il s'en rendrait vite compte. En effet, ce n'était pas la première fois, et ce ne serait sans doute pas la dernière, qu'une femme s'introduisait dans sa chambre sans y avoir été invitée.

Depuis des années, il avait cessé de croire qu'une femme pouvait l'aimer pour lui-même. D'ailleurs, il ne croyait plus à l'amour. Tout était une question de manipulation et de contrôle.

L'amour avait peut-être existé à une autre époque, pour une autre génération. Mais à part Léa, il n'avait jamais rencontré personne capable d'aimer de manière aussi inconditionnelle.

Comme chaque fois qu'il pensait à elle, un sentiment de tristesse et de vide l'envahit. Grâce à Léa, il avait appris ce qu'aimer voulait dire. Il était jeune alors, et pétri d'idéaux. Jeune médecin, il croyait pouvoir sauver le monde. Et Léa, si généreuse, si dévouée aux autres, l'avait encouragé dans ses illusions.

Aujourd'hui, à trente-trois ans, il avait vu tant de laideur et de méchanceté, il avait côtoyé tant de gens prêts à prendre mais incapables de donner, qu'il avait refermé son cœur à jamais.

Certes, il se sentait parfois seul et déprimé, mais la retenue émotionnelle était devenue pour lui une méthode de protection. Sa devise était désormais de s'amuser avec les femmes, mais de ne jamais baisser sa garde.

Il passa une main dans sa chevelure encore humide et se dirigea vers l'immense dressing-room, où il hésita quelques secondes avant de choisir une tenue.

Il ne devait pas se plaindre. Il était un homme plutôt chanceux, et il en avait conscience. Il était riche, privilégié, il exerçait un métier qu'il avait choisi. Et toutes les femmes se pâmaient devant lui. Ses relations se déroulaient selon un plan parfaitement rodé : flirt, aventure, rupture. C'était simple et net. Il se montrait le plus élégant possible et ses partenaires s'estimaient généralement satisfaites. Quant à lui, il en ressortait chaque fois avec un sentiment d'intense solitude. Mais il avait appris à faire avec.

Il était fatigué, voilà tout. Sa dernière mission humanitaire dans un pays d'Afrique en guerre l'avait vidé de ses forces et lui laissait un goût amer. Les atrocités dont étaient capables les peuples pour s'anéantir les uns les autres étaient inimaginables.

Voilà pourquoi il avait choisi de venir se reposer dans cet endroit éloigné de la fureur du monde.

Revenant brusquement à la réalité, il enfila un pantalon de toile beige et une chemisette en chambray bleu. La directrice, une étrange mais attachante vieille femme, l'avait convaincu d'assister à un cocktail de bienvenue, et il allait être en retard.

Diego venait à peine d'entrer dans le salon de réception que la directrice se précipita vers lui, aussi vite que le lui permettaient ses jambes visiblement percluses d'arthrose.

— Monsieur Vargas !

Sa voix chevrotait, mais ses yeux bleus pétillaient de jeunesse et de vivacité. Fils d'un chirurgien esthétique, Diego n'eut aucun mal à discerner une excellente structure osseuse sous sa peau flétrie. Merry Montrose avait sans nul doute été une femme d'une exceptionnelle beauté.

— Nous sommes tellement ravis de vous accueillir à La Luna !

Habitué à donner le change depuis sa plus tendre enfance, Diego afficha un sourire de courtoisie. Même épuisé et contrarié, il conservait le sens des mondanités.

— Votre description des lieux n'était pas exagérée, dit-il. J'espère y passer d'excellentes vacances.

— Notre responsable des loisirs est à votre disposition pour organiser agréablement votre séjour, s'empressa de répondre Merry. Et le concierge prendra en charge vos moindres désirs. Servir et faire plaisir est notre devise.

Ecartant de ses pensées le souvenir d'une jeune femme blonde aux yeux verts qui avait prononcé les mêmes paroles très peu de temps auparavant, Diego prit un verre au passage d'un serveur et jeta un regard autour de lui. Une vingtaine de jeunes gens élégants et fortunés échangeaient quelques mots en souriant, une flûte de champagne ou un cocktail exotique à la main. C'était le genre de personnes qu'il avait fréquentées durant toute sa jeunesse à Los Angeles. Mais après les horreurs dont il avait été le témoin, il ne se sentait plus aussi à l'aise qu'avant en leur compagnie.

Il balaya cet étrange sentiment, qui planait

au-dessus de lui tel un nuage menaçant dans un ciel d'été, et tenta de reprendre le fil de la conversation avec une Merry Montrose décidément très bavarde.

— Vous allez adorer Sharmaine, affirma-t-elle avec un enthousiasme un rien exagéré. J'en mettrais ma main à couper.

Tandis qu'il essayait de deviner de qui la vieille dame pouvait bien parler, il vit s'avancer une blonde élégante, vêtue d'une robe bain de soleil blanche qui mettait en valeur son bronzage parfait.

— Sharmaine ! s'écria Merry. Venez que je vous présente le Dr Vargas.

Après les brèves introductions d'usage, Merry s'éclipsa pour accueillir de nouveaux arrivants. En quelques minutes, Diego découvrit que Sharmaine Coleman était originaire de Géorgie, où son père dirigeait une fabrique de papier, et qu'elle était diplômée en histoire de l'art. Plus intéressant encore, elle était là pour se remettre de son récent divorce.

— C'est votre premier séjour à La Luna ? demanda-t-elle.

— Oui. Vous aussi ?

— Pas du tout. J'adore cet endroit et j'y viens

aussi souvent que possible. Les massages sont incroyables, et les autres clients sont toujours tellement sympathiques !

Elle lui adressa un large sourire, révélant des dents d'une blancheur irréprochable et parfaitement alignées.

— Vous devriez essayer les enveloppements de boue. Il n'y a rien de tel pour évacuer le stress.

— Je ne suis pas vraiment fervent des massages et autres fantaisies de ce genre.

— Ah non ?

Elle afficha une petite moue séduisante.

— Qu'est-ce que vous aimez, alors ?

Il ne se sentait pas vraiment d'humeur à flirter, mais il devait bien avouer que Sharmaine était plutôt séduisante, dans le style femme du monde un peu trop pomponnée.

Plutôt que de lui dire la vérité — qu'il aimait courir et transpirer jusqu'à l'épuisement — au risque de la voir plisser le nez avec dégoût, il répondit :

— Oh, vous savez, je suis ici en touriste. J'ai surtout envie de visiter les environs et de nager un peu.

— Dans ce cas, vous avez trouvé celle qu'il

vous faut, cher docteur. Personne ne connaît comme moi les recoins secrets de cette île.

Du coin de l'œil, Diego crut apercevoir un éclair rose vif du côté de la piscine, séparée du salon par une baie vitrée qui occupait tout un mur. Tournant la tête, il observa les nageurs pendant quelques secondes, mais ne parvint pas à repérer son étrange visiteuse. C'était sans importance, naturellement, mais sa curiosité était piquée au vif, et il en serait ainsi tant qu'il n'aurait pas élucidé le mystère de la présence de cette jeune femme dans sa chambre.

Un enfant gesticulait dangereusement au bord du bassin et un sifflet retentit, comme jailli de nulle part. Le maillot de bain rose, comme il la nommait déjà, portait un sifflet autour du cou. Il se souvenait parfaitement de la façon dont le lacet de coton caressait la peau nue de sa gorge, et du sifflet qui plongeait entre ses seins moulés jusqu'à l'indécence par le lycra. Peut-être était-elle vraiment maître nageur, mais cela ne lui donnait pas le droit pour autant d'entrer dans sa chambre.

Il pencha la tête pour tenter d'apercevoir l'autre bout de la piscine.

— Diego ?

La voix impatiente de Sharmaine le ramena à la réalité.

— Quoi ? Oh, pardon.

— Vous semblez fasciné par la piscine. Voulez-vous aller nager ?

Diego se massa la nuque d'un geste censé évoquer sa fatigue. Par deux fois aujourd'hui, il avait laissé son esprit vagabonder alors qu'on lui parlait — sa mère serait horrifiée par son manque d'éducation — et il espérait mettre son manque de politesse sur le compte du décalage horaire et de l'épuisement mental.

— Ce qui me ferait vraiment plaisir, dit-il d'un ton volontairement charmeur, ce serait de dîner tranquillement. Auriez-vous des suggestions à me faire ?

Sharmaine lui caressa délicatement le bras, du bout de ses doigts aux ongles parfaitement manucurés, et accentua son accent traînant du Sud.

— Mon cher, vous ne pourriez pas mieux tomber. Cette île n'a plus de secrets pour moi.

Et voilà comment Diego se retrouva avec un rendez-vous pour la soirée. Il pratiquait ce jeu du flirt mondain depuis tellement d'années que c'était presque devenu une seconde nature.

C'était même tellement facile qu'il n'en tirait plus aucune satisfaction.

Quoi qu'il en soit, Sharmaine occuperait agréablement son temps durant son séjour. Elle était ravissante, sûre d'elle, et visiblement déterminée à s'amuser sans se compliquer l'existence. Quel mal y avait-il à cela ? Ils étaient tous les deux adultes, responsables, et décidés à profiter le plus possible de leur liberté.

2.

Cathie siffla une seconde fois et descendit de son poste de vigie pour parler au tout jeune adolescent qui semblait bien décidé à se tuer pour impressionner une gamine de son âge.

— Justin !

Elle l'interrompit au moment où il s'apprêtait à faire la roue le long du petit bain.

— C'est bien Justin, ton nom, n'est-ce pas ?

— Ouais. Et alors ?

Le torse maigrichon, tout en jambes et en bras, il ne devait pas avoir plus de quinze ans, et Cathie ne se laissa pas impressionner par son insolence.

— Je connais un meilleur moyen pour qu'elle te remarque.

De l'eau lui coulait dans le nez, et il renifla.

— Qui ?

— Tu sais très bien de qui je veux parler.

Elle pencha la tête et ajouta, sur le ton de la confidence :

— La jolie fille, là-bas, en maillot de bain rayé.

— Oh ! Elle…

Il avait beau feindre l'indifférence, une légère rougeur colorait ses joues, et il ne put s'empêcher de jeter un bref coup d'œil dans la direction indiquée avant de reporter son attention sur Cathie.

— Plutôt que de faire toutes ces acrobaties de ce côté, au risque de te casser la figure et de passer pour un idiot, pourquoi tu n'essaierais pas le grand bain ? Tu es doué pour le saut périlleux mais, d'ici, personne ne peut s'en rendre compte.

— Vous trouvez que je suis bon au saut périlleux ?

— Excellent.

La poitrine du gamin se gonfla d'orgueil.

— Sérieusement ?

— Absolument. Et maintenant, vas-y. Je te promets que Kelly va te regarder.

— Cool.

Avant qu'il ait eu le temps de détaler, Cathie posa la main sur son bras humide.

— Promets-moi d'arrêter les cascades, d'accord ?

— Ouais. OK.

Amusée, Cathie le regarda s'éloigner en roulant des épaules. Il lui rappelait sa propre adolescence, cette époque où l'on essaie désespérément d'agir en adulte sans avoir la moindre idée de la façon dont il faut s'y prendre. Mais Justin avait de la chance. Cathie savait que Kelly le dévorait des yeux en cachette, tout en prétendant ne pas s'apercevoir de sa présence.

Quelques instants plus tard, la remplaçante de Cathie vint prendre la relève, et elle attendit juste assez pour voir Justin effectuer un saut relativement acceptable.

Elle leva les deux pouces en signe d'approbation et se hâta de regagner son appartement. Laisser Maria sans surveillance plus de deux heures l'inquiétait toujours.

Tandis que Cathie s'apprêtait à ouvrir la porte de sa chambre, la sonnerie de l'ascenseur retentit et les portes s'ouvrirent pour libérer le passage à Diego Vargas. Les joues empourprées au souvenir de la scène qui s'était déroulée dans sa suite, elle se dépêcha d'entrer chez elle, en espérant qu'il n'ait pas eu le temps de la remarquer. Elle avait été incapable de le chasser de ses pensées durant son service à la piscine, et le hasard voulait qu'elle manque de tomber encore une fois sur lui.

Il était rarissime qu'elle éprouve une telle attirance, aussi immédiate, pour un inconnu. En réalité, la dernière fois que cela s'était produit, c'était avec son mari. Mais, cet après-midi, le beau médecin latino-américain L'avait bouleversée.

Peut-être étaient-ce précisément ses origines qui l'attiraient. Diego Vargas était un latin. Exactement comme José.

Tandis qu'elle posait ses clés sur la console de l'entrée et allumait la lampe à pied posée dessus, elle sourit de cette comparaison. Le riche médecin était sans doute un brun ténébreux, mais il ne ressemblait pas du tout à José, si généreux et si travailleur.

— *Mama*, appela-t-elle.

Puis elle traversa le salon pour gagner la chambre qu'elle partageait avec sa belle-mère. Leur suite n'était pas très grande en comparaison de toutes les autres, mais elle était ravie d'avoir obtenu cet avantage en plus de son salaire. Ce n'était pas sans contrepartie, évidemment, et elle avait dû consentir à rester disponible nuit et jour pour pallier les défections du personnel. Elle avait accepté de bonne grâce ces conditions. Plus elle travaillait, plus elle gagnait d'argent. Et puis, leur logement n'était pas très éloigné de la clinique où Maria était traitée.

— *Mama*, répéta-t-elle, vous êtes là ?

Sa belle-mère était assise dans un fauteuil près de son lit, les yeux fermés. Ses lèvres remuaient en silence tandis que ses doigts égrenaient le chapelet qui reposait sur son estomac.

— Ah, Cathie, c'est toi.

— Qui espériez-vous que ce soit ? demanda gentiment Cathie. Le prince charmant ?

— Et pourquoi pas ? Je suis encore présentable.

A soixante-dix ans, Maria n'avait rien perdu de son humour, même si sa condition physique se dégradait dangereusement de semaine en semaine. Ces derniers temps, elle souffrait de terribles migraines, de nausées et de phases inexplicables de cécité.

Les médecins que Maria avait consultés au Texas diagnostiquaient qu'il s'agissait de manifestations psychosomatiques dues à la perte de son unique enfant, mais Cathie n'y croyait pas. Seul un thérapeute installé en Floride les avait prises au sérieux et leur avait proposé un traitement. Cathie, qui travaillait au Texas pour le groupe hôtelier Rochelle, avait alors demandé son transfert à La Luna. Cette décision lui avait coûté, mais elle aurait été prête à déménager sur la lune s'il l'avait fallu.

Un jour, sa belle-mère irait mieux, et elle pourrait enfin rentrer chez elle.

Elle s'agenouilla devant la vieille dame et prit sa main si frêle dans la sienne.

— Comment vous sentez-vous ?

— Mieux, maintenant que tu es là, ma chérie.

— Vous avez mangé quelque chose ?

Cathie connaissait déjà la réponse avant que Maria ne secoue la tête. La plupart du temps, sa belle-mère trouvait à peine la force de quitter la chambre. Et l'assiette de pêches pré-épluchées qu'elle avait laissée à portée de main était intacte.

— *Mama*, la gronda-t-elle gentiment. Vous n'avez pas mangé vos fruits.

— Plus tard, mon enfant.

— Vous avez vu ce que je vous ai rapporté

du banquet d'hier soir ? Du gâteau au chocolat. Votre préféré.

— C'est gentil, mais je n'en ai pas envie. Tu n'as qu'à le manger, toi.

Cathie bascula en arrière sur ses genoux et se tapa l'estomac.

— Regardez-moi. Je suis énorme. Un kilo de plus et je ne rentrerai plus dans mon maillot de bain. Et puis, je n'aime pas tellement le gâteau au chocolat. Mais ce serait dommage de le jeter. Vous êtes sûre que vous n'en voulez pas ?

— Comment se fait-il que tu rapportes toutes ces bonnes choses de ton travail et que tu ne les manges jamais ? Je te connais, Cathie, tu n'achètes jamais rien pour toi. Tu travailles comme une brute, tu économises jusqu'au dernier centime, et tout ça pour une vieille femme malade qui n'est même pas de ta famille.

— Ne dites pas ça, *mama*. Vous savez que je vous aime comme ma mère.

— Quand nous étions au Texas, tu répétais sans cesse combien tu étais heureuse d'avoir un foyer et un mari. Des racines, comme tu disais. Tu as été une bonne épouse pour mon José.

Elle fit un signe de croix tandis que son regard s'embuait.

— Dieu ait son âme. Mais tu es jeune et jolie, et cet endroit est plein d'hommes riches et séduisants. Tu devrais te trouver un mari au lieu de passer le peu de temps libre qu'il te reste à t'occuper de moi.

Cathie sentit son cœur se serrer en entendant sa belle-mère parler ainsi. Elle n'avait aucune envie de se remarier. Et surtout pas avec un de ces snobs qui fréquentaient l'hôtel.

— Ce n'est que provisoire, le temps que vous guérissiez. Vous vous souvenez quand vous avez commencé à voir le Dr Attenburg ? Vous vous sentiez tellement mieux !

Elles avaient cru au miracle durant ces quelques semaines. Jusqu'à ce que l'argent vienne à manquer.

Un sourire crispé apparut sur les lèvres de Maria.

— C'est vrai. J'ai même eu l'espoir qu'il allait me guérir.

— Ce sera le cas. Dès que nous pourrons reprendre le traitement. J'ai presque réuni la somme nécessaire.

Chaque jour, Maria s'affaiblissait, et Cathie vivait dans la crainte de la perdre. Il fallait qu'elle reprenne son traitement le plus vite possible.

— Déjà ?

Cathie afficha un sourire confiant.

— Demain, j'appellerai pour prendre rendez-vous.

Il fallait qu'elle trouve l'argent, d'une façon ou d'une autre.

— Et bientôt, vous verrez, vous serez sur pied, et vous pourrez recommencer à me faire vos délicieux petits plats.

Cathie se leva et se pencha pour déposer un baiser sur la joue parcheminée de la vieille dame.

— Laissez-moi le temps de prendre une douche pour me débarrasser de cette odeur de chlore, et je vous préparerai quelque chose à manger.

— Repose-toi mon enfant, répliqua Maria en fermant les paupières. Tu dois être fatiguée.

Cathie sentit sa gorge se serrer, comme chaque fois qu'elle posait les yeux sur cette femme qui était autrefois, avant son étrange maladie, tout en rondeur et pleine de joie de vivre.

Sous la douche, Cathie se creusait la cervelle pour trouver un moyen de gagner très vite plus d'argent. Compte tenu de la nature expérimentale du traitement de Maria, les honoraires du

Dr Attenburg étaient exceptionnellement élevés. Maintenant qu'ils se connaissaient, peut-être pourrait-elle lui demander de payer en plusieurs fois ?

Tout en se mordillant la lèvre, elle noua un élastique autour de ses cheveux et se dirigea vers la cuisine. Elle glissait un plat cuisiné dans le micro-ondes quand son biper se mit à vibrer. Le numéro qui s'affichait était celui de Merry Montrose, et elle s'empressa de la rappeler.

— Un de nos serveurs ne peut pas venir, lui apprit cette dernière. Il prétend être malade, mais j'ai des doutes. Sauf si la paresse est désormais reconnue comme une maladie. J'ai besoin de vous. A 19 heures précises.

Cathie jeta un coup d'œil à l'horloge digitale du micro-ondes. Il ne lui restait que vingt-cinq minutes pour faire dîner Maria avant de rejoindre le restaurant.

— D'accord, madame. J'y serai.

— Ne soyez pas en retard.

— Comptez sur moi. Vous savez que j'adore travailler.

C'était l'euphémisme du siècle.

— Je souhaite que vous veilliez tout particulièrement à ce que ça se passe bien. Il s'agit d'un couple de mes amis.

La voix de la directrice avait pris tout à coup une intonation exaltée.

— Oui, bien sûr.

Cathie s'empara en hâte d'un bout de papier. Elle ne voulait pas écorcher le nom d'un client important.

— J'ai attribué la table cinq, celle un peu à l'écart avec une vue romantique sur la mer, à Diego Vargas et Sharmaine Coleman.

Une vague sensation de nausée s'empara de Cathie. Pas Diego Vargas ! Pas l'homme incroyablement attirant qu'elle avait surpris nu dans sa salle de bains !

Déglutissant avec peine, elle nota les noms et jeta le crayon sur la table. Il n'y avait aucun risque qu'elle oublie de qui il s'agissait.

Un instant, elle songea à demander qu'un autre serveur s'occupe de cette table, mais elle ne voulait pas prendre le risque de contrarier sa directrice. Merry Montrose la mettait mal à l'aise. On aurait dit qu'elle l'espionnait, comme si elle guettait le moindre faux pas pour la renvoyer. Et Cathie ne pouvait pas se permettre de perdre son emploi, aussi faisait-elle tout son possible pour satisfaire l'exigeante vieille dame.

Elle avait travaillé au Banyan Room à plusieurs reprises et elle en appréciait l'ambiance. Luxueux à souhait, le restaurant cinq étoiles n'attirait que les clients les plus fortunés, et les pourboires valaient le détour.

Mais elle n'avait aucune envie de revoir l'arrogant Diego Vargas. Pas tout de suite, en tout cas. Il lui fallait d'abord oublier la vision de sa peau mate et veloutée, de son beau visage, de son torse à la musculature parfaite, de…

Elle ferma les yeux et s'obligea à ne plus penser à rien.

Pourboire ou pas, la nuit risquait d'être longue.

Cathie le remarqua à l'instant même où il franchit la porte. Aussi incroyable que cela puisse paraître, Diego Vargas était encore plus séduisant en costume qu'il ne l'était nu. Et la femme qui se tenait à ses côtés, Sharmaine Coleman, était délicieuse dans une courte robe sans manches bleu marine, qui mettait en valeur sa silhouette parfaite.

S'efforçant de chasser cet élan de curiosité

envers un homme qu'elle ne connaissait même pas, Cathie attendit que le couple se soit assis pour s'approcher de la table.

A en croire les instructions très détaillées que lui avait données Merry Montrose dès son arrivée au restaurant, celle-ci portait un intérêt tout personnel à Diego Vargas et à son invitée. Peut-être s'agissait-il d'amis proches. Bien que ce ne soit pas la première fois que la directrice fasse preuve d'exigences bien particulières en faveur de certains couples. Lesquels couples s'étaient d'ailleurs mariés depuis, ce qui, en y réfléchissant bien, était assez surprenant.

Pour une raison inexplicable, l'idée que Diego Vargas épouse Sharmaine Coleman ennuyait Cathie. Mais elle connaissait son travail et l'exécuterait à la perfection. Il le fallait.

Il suffirait qu'un client se plaigne pour qu'elle se fasse renvoyer. Et après sa rencontre un peu particulière avec Diego Vargas, cette possibilité n'était pas à écarter. Même si ses insinuations avaient quelque chose d'insultant, à La Luna, le client était roi.

Nichée au creux d'un mini-jardin tropical composé de bougainvillées et de palmiers en pots, la table cinq offrait une vue exceptionnelle sur la mer. L'argenterie étincelait, les verres en cristal facetté réfléchissaient la lumière et les serviettes en lin étaient parfaitement repassées.

Personne ne pouvait résister au romantisme de cette ambiance. Cathie avait même veillé à ce qu'une orchidée fraîche soit posée au centre de la table. Et maintenant, si elle pouvait les servir sans que Diego Vargas ne la reconnaisse, ce serait formidable. Avec un peu de chance, il ne l'avait peut-être pas regardée avec autant d'attention qu'elle-même l'avait fait.

Rassemblant son courage, elle s'assura que son nœud papillon était bien fixé, tira sur l'ourlet de sa veste rouge pour l'ajuster correctement, lissa de ses paumes moites son pantalon noir et traversa le plus discrètement possible la salle plongée dans une semi-pénombre très étudiée.

Sa voix était teintée d'une gaieté un peu forcée lorsqu'elle récita :

— Bonsoir madame, bonsoir monsieur, bienvenue au Banyan Room, je m'appelle Cathie, et c'est moi qui m'occuperai de vous ce soir.

Diego détourna aussitôt son attention de la ravissante blonde qui lui faisait face pour la scruter intensément.

Cathie s'efforça de conserver une expression

professionnelle et accueillante mais, à la seconde où elle croisa le regard du séduisant médecin, elle sut qu'il l'avait reconnue.

— Tiens ! Le monde est petit.

Un sourire moqueur étira les lèvres de Diego tandis qu'il continuait à la regarder fixement.

Flûte ! Pourquoi fallait-il qu'il ait une aussi bonne mémoire ?

Elle inclina la tête, en espérant poursuivre comme si de rien n'était, mais ne put s'empêcher de rougir.

Sharmaine ne manqua pas de le remarquer.

— Vous vous êtes déjà rencontrés ?

— Dans ma suite, cet après-midi, expliqua Diego avec une expression qui hésitait entre la curiosité et la suspicion. Cette jeune femme m'apportait des serviettes de toilette.

— Oh. Comme c'est… intéressant.

Ces simples mots, accompagnés d'un regard vaguement méprisant, rabaissèrent Cathie au rang de domestique insignifiante.

Cathie ignorait pourquoi elle en était aussi affectée. Elle avait toujours considéré qu'il n'y avait pas de sot métier, mais quelque chose dans l'intonation de Sharmaine venait de saper sa confiance en elle. Pour la première fois de sa vie, elle se sentait inférieure.

Il fallait ajouter à cela les insinuations de Diego Vargas, selon lesquelles elle serait entrée dans sa chambre pour d'autres raisons que celles annoncées : elle avait vraiment toutes les raisons de se sentir insultée. Mais elle prit sur elle. Servir des clients arrogants et désagréables faisait partie de son travail.

Elle avait également conscience que Sharmaine cherchait à marquer son territoire, tant son intérêt pour Diego Vargas était évident. C'était parfaitement grotesque. Car même si Cathie avait été prête à tomber de nouveau amoureuse, ce qui n'était absolument pas le cas, un homme tel que Diego Vargas n'aurait jamais pu s'intéresser à elle.

Diego n'en revenait toujours pas. Toute la journée, il s'était posé des questions sur la mystérieuse jeune femme en maillot de bain rose. Et voilà qu'elle réapparaissait. Dans un autre rôle, cette fois, celui de serveuse.

Qui était-elle vraiment ? Et quelles étaient ses intentions ?

Tout en sirotant son verre de vin, il la regarda évoluer avec grâce et agilité entre les tables.

Alors qu'elle s'était montrée froide et presque revêche avec lui, elle semblait beaucoup plus détendue avec les autres clients, répondant du tac au tac à leurs plaisanteries ou riant gentiment de leurs tentatives de flirt. C'était à n'y rien comprendre. Pourquoi se serait-elle introduite chez lui par la ruse, pour agir ensuite comme s'il ne l'intéressait pas du tout ?

Peut-être était-elle vraiment, comme elle l'avait affirmé, une simple employée de l'hôtel qui avait commis une erreur en entrant chez lui sans qu'on le lui ait demandé, et sans s'annoncer.

Il se demanda pourquoi il ne pouvait se résoudre à accepter une explication aussi simple, et pourquoi aussi il n'avait cessé de penser à elle toute la journée.

— Diego ?

Il sentit la main de Sharmaine se poser sur son bras, et s'obligea à reporter son attention sur son invitée.

— La plage est superbe sous ce clair de lune, n'est-ce pas ? lança-t-il, en espérant que Sharmaine n'ait pas remarqué sa distraction momentanée.

Celle-ci tendit son verre comme pour porter un toast.

— Vous avez l'art de retomber sur vos pieds. Une minute, vous dévorez la serveuse des yeux, et la suivante, vous me parlez du clair de lune.

— La serveuse ? Quelle serveuse ? demanda-t-il d'un ton innocent. Je cherchais seulement le magicien qui vous a faite si jolie.

Au moins, ce n'était pas un mensonge. Sharmaine était vraiment une femme très séduisante.

Elle leva un sourcil et eut un petit rire.

— Excellente réponse.

Puis elle se mit à jouer négligemment avec le pendentif qui effleurait la naissance de ses seins. Diego suivit son geste et y reconnut une invitation. Mais il ne se sentait pas prêt à répondre. Pas encore.

— Après le dîner, proposa-t-il, peut-être pourrions-nous aller nous promener sur la plage ? La mer semble si paisible.

Le calme, la sérénité, voilà à quoi il aspirait plus que tout.

— Dans cette tenue ? Non, merci. Je préfère danser.

— Pourquoi pas ? répondit poliment Diego.

Il n'était pas mauvais danseur, grâce aux cours

qu'il avait pris dans son enfance. Mais ce soir il aurait aimé profiter de la beauté de la nature, sentir la brise lui caresser le visage, et humer les effluves salés de l'océan.

Du coin de l'œil, il aperçut sa serveuse à une table voisine, en partie dissimulée par des plantes en pots. Une voix masculine lui parvint, sans qu'il pût comprendre ce qu'elle disait. La voix douce et posée de Cathie lui répondit. Le ton de l'homme, qui bafouillait comme s'il avait trop bu, monta d'un cran, et ses mots devinrent insultants.

Diego sentit les poils de ses bras se hérisser. Aucun homme, quel que soit son statut social, n'avait le droit de parler ainsi à une femme. S'il ne cessait pas immédiatement, ce butor pourrait bien écourter ses vacances pour rendre visite à son dentiste.

— Monsieur, je vous prie de lâcher mon bras, répliqua poliment Cathie.

Il lui avait pris le bras !

Diego jeta sa serviette en boule sur la table et se leva d'un bond.

— Que vous arrive-t-il ? s'étonna Sharmaine. Vous semblez bien agité, tout à coup.

— J'ai bien envie d'aller apprendre les bonnes manières à notre voisin de table.

— Oh, ne soyez pas ridicule, voyons ! Les filles comme elle savent très bien se défendre.

Il eut envie de lui demander ce qu'elle entendait par « les filles comme elle », mais il était trop occupé à surveiller ce qui se passait à côté.

— Elle ne devrait pas avoir à se défendre, fit-il remarquer.

Puis il se précipita vers Cathie et toisa son client d'un regard peu amène.

— Vous avez un problème ?

Le jeune homme blond, à l'allure de surfeur, ricana avec insolence.

— Dégage de là, mon vieux.

— Monsieur Vargas, ne vous en mêlez pas, je vous en prie, protesta Cathie d'une voix tendue. Je contrôle la situation.

— Ce n'est pas l'impression que j'ai, répliqua Diego.

Puis il adressa au surfeur un regard de défi :

— Lâchez-la immédiatement.

L'homme obtempéra et déploya sa haute silhouette.

— On dirait que tu cherches les ennuis.

Une lueur affolée passa dans le regard de Cathie.

— Messieurs, veuillez vous rasseoir. Nous sommes dans un restaurant de luxe, pas dans un bar mal famé.

Le surfeur vacilla, se rattrapa au bord de la table, et se laissa tomber sur son siège.

— D'accord, bébé, comme tu voudras. Mais on reprendra cette conversation plus tard.

Diego serra les poings, tandis qu'une lueur courroucée traversait son regard. Il n'avait pas l'intention de laisser cet arrogant personnage s'en sortir aussi facilement. Mais Cathie semblait vouloir mettre un terme à la conversation.

— Monsieur Vargas, laissez-moi vous raccompagner à votre table.

Il fit demi-tour à contrecœur, mais ne put s'empêcher de jeter au surfeur un dernier regard par-dessus son épaule.

— Je vous en prie, siffla Cathie entre ses dents. Vous allez me faire renvoyer.

Incrédule, il s'arrêta net et la dévisagea.

— Mais je ne voulais que vous aider.

— Je suis capable de me débrouiller seule.

— Ce n'est pas l'impression que j'ai eue.

— Veiller à ce que les clients se divertissent

fait partie de mon travail. Et si l'un d'entre eux a trop bu, c'est à moi de faire en sorte que tout se passe bien. Je ne peux pas me permettre d'offenser un client.

— C'est moi que vous accusez d'être un fauteur de trouble ?

— Je vous demande simplement de ne pas intervenir dans mon service.

Vexé d'être traité de la sorte, Diego se rassit. Sharmaine avait raison, Cathie savait se défendre.

Comme si rien ne s'était passé, elle lui reversa un peu de vin et s'éloigna vers une autre table.

Lorsqu'ils furent de nouveau seuls, Sharmaine eut une petite moue d'enfant gâtée.

— Franchement, Diego, vous avez accordé plus d'attention à cette serveuse qu'à moi.

Il ne pouvait le nier. Cathie l'intéressait davantage que sa charmante invitée. Et il n'avait aucune explication à son étrange comportement.

— La raison est simple, chère amie, dit-il d'un ton charmeur. J'ai besoin de la serveuse pour avoir mon entrecôte. Savez-vous depuis combien de temps je n'en ai pas mangé ?

Sharmaine eut la bonne grâce de sourire.

— Ainsi, le meilleur moyen de conquérir le

cœur d'un homme est bel et bien de s'adresser d'abord à son estomac ?

— C'est ce qu'on dit.

— Dans ce cas, je devrais peut-être me décider à me mettre aux fourneaux ?

— Vous pouvez aussi engager un cuisinier.

Sharmaine rit de bon cœur, et Diego sut alors qu'il était pardonné. A dire vrai, il ne comprenait pas ce qui lui arrivait. Il dînait avec une femme superbe, qui appartenait à son monde, et qui ne verrait aucun inconvénient à rendre son séjour plus agréable encore. Le jeu de Sharmaine était clair. Elle ne cherchait pas à le mener en bateau et, avec elle, il ne prenait aucun risque sur le plan sentimental.

Cependant, il ne pouvait s'ôter de l'esprit l'image d'une superbe serveuse aux yeux verts.

3.

— Cathie, il faut acheter de nouveaux tubes de colle pour le cours de travaux manuels.

Merry Montrose poussa un paquet vers elle.

— Et déposez ceci dans la chambre de Mlle Paris Hammond. Elle l'attend avec impatience. Il s'agit d'un cadeau pour la vente de charité, de la part d'un joueur de football de Miami. Ensuite, vous porterez ces fleurs à Mlle Coleman de la part du Dr Vargas.

Cathie essaya d'ignorer le pincement à l'estomac que lui provoquait ce nom.

— J'ai vu Mlle Coleman se diriger vers le cours de tennis, il y a vingt minutes, répondit-elle à sa patronne.

— Vraiment ?

Les yeux bleus de Merry pétillèrent d'intérêt.

— Le Dr Vargas était-il avec elle ?

— Non, elle était avec M. Plinkton.

— Flûte ! Me serais-je encore trompée ?

La directrice marmonna une phrase incompréhensible entre ses dents, puis elle composa un numéro sur son téléphone portable et chassa Cathie d'un geste impatient de la main.

— Ça ne fait rien. Déposez les fleurs dans sa chambre. Je vais essayer autre chose.

De quoi pouvait-elle bien parler ? On aurait dit qu'elle mijotait quelque chose pour que Diego et Sharmaine sortent ensemble. Cathie préféra ne pas s'attarder pour demander des explications. Moins elle en savait sur Diego Vargas, mieux cela valait.

— Une dernière chose, Cathie, l'interpella la vieille dame avant qu'elle ne soit sortie de la pièce. Vous travaillerez au bar de 21 heures à la fermeture.

A l'exception de quelques courtes visites à Maria, Cathie avait couru d'un endroit à l'autre toute la matinée. La saison touristique battait son plein, et l'hôtel affichait complet. Son dos et ses pieds la faisaient souffrir et, même si elle détestait l'idée d'avoir à refuser un travail, elle était vraiment trop fatiguée pour tenir le bar. Ces derniers temps, elle ne dormait pas très bien.

Il y avait tout d'abord l'inquiétude qu'elle ressentait vis-à-vis de sa belle-mère et de l'état de ses finances. Le Dr Attenburg avait accepté de lui faire crédit, mais elle devait trouver l'argent qui lui manquait le plus vite possible.

Et comme si ce n'était pas assez, son esprit lui jouait des tours. Après l'épisode au Banyan Room, elle avait rêvé de Diego Vargas. Il s'agissait du genre de rêve dont le souvenir suffisait à la faire rougir. Pour comble de malchance, elle tombait sur lui chaque fois qu'elle se déplaçait d'un endroit à l'autre de l'hôtel pour accomplir une nouvelle tâche. Et voilà que Mlle Montrose mentionnait son nom et lui faisait penser de nouveau à lui.

Elle se hâta de déposer le paquet et les fleurs chez leur destinataire respectif, puis descendit en courant au restaurant afin de prendre le repas qu'elle avait commandé pour Maria.

Elle venait de pousser la porte de son appartement quand son biper se mit à vibrer. Avec un soupir, elle posa son plateau sur la table et se dirigea vers le téléphone.

— Encore du travail ? demanda Maria, lorsqu'elle eut raccroché.

— C'est un client qui veut qu'on lui remplisse son mini-bar.

— Tu sais que nous devons aller sur le continent, cet après-midi. Tu auras le temps de t'en occuper avant notre départ ?

Cathie consulta sa montre.

— Je n'en ai pas pour longtemps. Je vais le faire maintenant.

— Mais tu n'as pas déjeuné !

— Je grignoterai quelque chose plus tard, *mama*.

Elle embrassa la vieille dame sur la joue.

— Mangez et ne vous inquiétez pas. Je serai là à temps pour vous emmener chez le médecin.

Diego jeta une serviette sur ses épaules en sueur et se dirigea vers la cage d'escalier. Rien de tel qu'une partie de beach volley pour se dérouiller les muscles et chasser sa mauvaise humeur.

L'escalier était désert, comme toujours, ce qui l'amusait beaucoup. Les clients de l'hôtel se démenaient à la salle de sport pour perdre du poids ou rester en forme, mais ils prenaient systématiquement l'ascenseur.

Tout en sifflotant, il grimpa les marches deux par deux, en prêtant l'oreille au bruit mat du caoutchouc de ses semelles sur l'acier.

A l'approche du deuxième étage, il hésita. D'après la brochure déposée dans sa chambre, un jacuzzi était installé quelque part dans le coin, et il songeait qu'un bain bouillonnant achèverait sans doute de le détendre.

Tout à coup, une porte s'ouvrit sur sa gauche, et un mouvement attira son attention. Son pouls s'accéléra de façon tout à fait anormale. Cathie, la serveuse-femme de chambre-maître nageur, referma la porte et tourna la tête vers lui.

— Rebonjour, dit-il.

Elle était fraîche et pimpante dans un bermuda bleu marine et un polo de coton piqué blanc. Ses cheveux blonds étaient tirés en une charmante queue-de-cheval qui lui donnait un air de jeunesse et d'innocence extrêmes.

— Monsieur Vargas, répondit-elle poliment.

Même à cette distance, il devinait qu'elle était peu disposée à lui parler. Mais elle l'avait suffisamment évité. Il était temps de tirer les choses au clair.

— Diego, dit-il. Vous m'en voulez toujours ?

Elle secoua la tête, et un léger sourire se dessina sur ses lèvres.

— En réalité, je devrais m'excuser.

Il inclina la tête de côté.

— Je ne cherchais qu'à vous aider. Mon intention n'était en aucun cas de vous créer des problèmes.

— Je m'en rends compte, maintenant. Mais je ne peux pas me permettre d'offenser les clients de l'hôtel.

Son regard vert l'enveloppa avec curiosité.

— Vous revenez de la plage ?

— Oui.

Il fut tenté de lui rappeler qu'il était un client, lui aussi, mais cette réaction lui sembla terriblement puérile.

— Je cherche le jacuzzi.

— Vous êtes au bon étage. Voulez-vous que je vous y conduise ?

— Avec plaisir.

Il la suivit jusqu'à un vaste solarium, dont la structure vitrée pouvait s'ouvrir à volonté pour profiter pleinement de la nature. Pour le moment, les panneaux étaient fermés et couverts de buée. Un bar longeait l'un des murs, et juste à côté se trouvait une salle de bains luxueusement équipée. Une débauche de plantes donnait à l'endroit une atmosphère presque tropicale tout à fait propice à un interlude romantique.

Diego jeta un bref coup d'œil à Cathie et se demanda si elle se livrait à ces petits jeux-là. Le découvrir pourrait se révéler intéressant.

Elle se pencha pour vérifier la température de l'eau, et Diego sentit son pouls s'accélérer en voyant son bermuda se tendre sur ses hanches pulpeuses et révéler un peu plus ses cuisses fermes et bronzées.

Oui, vraiment. Très intéressant.

Sans se rendre compte qu'elle était observée, Cathie se redressa et demanda en souriant :

— Voulez-vous que je vous prépare un verre pendant que vous vous changez ?

— Pourquoi pas ?

Très à l'aise, Diego fit passer son débardeur par-dessus ses épaules et le jeta par terre. Le cœur de Cathie fit un bond dans sa poitrine et, comme l'autre jour dans sa chambre, elle ne put s'empêcher de rougir et de détourner les yeux.

Il se dégageait de lui une telle vitalité, une telle impression de puissance et de force ! Il était décidément le plus bel homme qu'elle eût jamais rencontré, athlétique, élégant, plein de charme, mais aussi terriblement intimidant.

Une lueur de malice pétilla dans le regard de Diego lorsqu'il prit conscience de la réaction qu'il venait de susciter chez la jeune femme. Il connaissait le pouvoir de son charme, n'hésitait pas à en jouer avec habileté, et se réjouissait de constater que Cathie ne lui était pas aussi indifférente qu'elle cherchait à le faire croire.

— Préparez donc deux verres pendant que je prends une douche, dit-il avant de s'éloigner.

Quand il revint, trois minutes plus tard, Cathie avait disparu, et un verre de soda l'attendait près du jacuzzi.

Respirant l'air chargé d'humidité, il s'enfonça dans l'eau bouillonnante et ferma les yeux avec délice. C'était si bon de se détendre et d'oublier ses soucis sous la caresse démultipliée des jets qui soulageait la tension de ses muscles !

Insensiblement, son esprit se mit à vagabonder, des images troublantes de Cathie vinrent le hanter, et son imagination s'emballa.

Le biper de Cathie sonna deux fois avant qu'elle ait le temps de regarnir le bar de la suite 208. Tout en courant dans les couloirs, elle se morigéna. Si elle n'avait pas bêtement perdu du temps avec Diego Vargas, Maria et elle seraient déjà en route vers l'embarcadère.

Diego la déstabilisait. Un instant, il se montrait soupçonneux et grossier, et l'instant d'après il était charmant et enjôleur. Quoi qu'il en soit, elle avait tout intérêt à se tenir à l'écart. Sa présence perturbait ses facultés mentales, et elle ne pouvait pas se permettre la moindre distraction.

Elle se rua dans l'escalier, trop impatiente pour attendre l'ascenseur. Poussant de toutes ses forces la lourde porte pare-feu, elle atterrit contre le corps puissant et légèrement humide d'un homme.

— Attention !

Des mains solides la retinrent par les épaules.

Lorsqu'elle leva les yeux et découvrit le regard sombre de Diego Vargas, Cathie éclata de rire.

— Vous m'espionnez ?

— J'allais vous demander la même chose.

Il était dangereusement proche d'elle, si proche qu'elle avait l'impression d'être environnée par de mystérieuses radiations.

— Si c'était le cas, j'essaierais de me montrer plus subtile.

Ignorant de son mieux la vive émotion qu'elle ressentait à cet instant, Cathie s'écarta et tira sur le bas de son polo pour rectifier sa tenue. D'une voix étonnamment désinvolte compte tenu de sa nervosité, elle demanda :

— Comment était le jacuzzi ?

— Formidable.

Une lueur machiavélique s'alluma dans le regard de Diego.

— Ç'aurait été encore mieux si vous étiez restée.

Plongeant la main dans la poche de son short, il se dirigea vers sa suite.

— Si ça vous a plu, vous aimerez sûrement l'Oasis.

Pourquoi suivait-elle cet homme dans le couloir, alors qu'elle avait tellement de choses à faire ?

Il ralentit pour qu'elle le rejoigne, visiblement ravi d'avoir de la compagnie.

— Qu'est-ce que c'est ?

— Une piscine en plein air. La nuit, c'est vraiment magnifique, avec la chute d'eau illuminée et le jardin tropical. C'est l'endroit idéal pour un tête-à-tête.

Arrivé devant sa porte, il se tourna et lui demanda :

— C'est une invitation ?

Elle lui opposa un visage maussade.

— Je pensais à vous et Mlle Coleman.

— Comme c'est aimable de votre part, dit-il avec un sourire moqueur.

Il plongea la main dans son autre poche et parut ennuyé.

— Vous ne trouvez pas votre carte ?

— Elle a dû tomber quand je jouais au volley.

— Je peux vous faire entrer.

— C'est vrai ?

— Bien sûr.

Elle sortit une carte de la poche de son short et l'agita sous son nez.

— J'ai toujours mon passe sur moi.

Elle ouvrit la porte et s'écarta pour lui laisser le passage.

— Et voilà ! Je vais signaler la perte de votre carte et demander qu'on recode la serrure.

— Attendez ! dit-il, comme elle tournait les talons.

Elle lui jeta un regard par-dessus son épaule.

— Autre chose, monsieur ?

Oui, il y avait autre chose. Mais il ne savait pas quoi précisément.

— Ne m'appelez pas monsieur. Ça me donne l'impression d'être un vieillard. Je suis Diego, tout simplement.

Puis, avant d'avoir eu le temps de réfléchir, il ajouta :

— Vous voulez entrer ?

Cathie écarquilla les yeux.

— Quelque chose ne va pas dans votre suite ?

— Non, tout est parfait. Je pensais que vous aviez peut-être envie de parler.

— Ce serait avec plaisir, mais j'ai un rendez-vous.

Elle jeta un regard à sa montre bon marché.

— Oh, flûte ! Il faut que j'y aille.

— Vous pourriez me rejoindre plus tard à l'Oasis ?

— Je suis désolée, mais je dois…

— Vous devez travailler, je sais.

Il ne lui arrivait donc jamais de se reposer ?

— Exact. Et maintenant, excusez-moi, mais je suis vraiment en retard.

Et, sans un mot de plus, elle s'élança en courant dans le couloir.

Diego resta pétrifié sur le seuil de sa chambre. C'était la troisième fois que Cathie refusait une invitation. Il n'avait pas l'habitude que ça se passe comme ça. Les femmes ne se faisaient généralement pas prier pour sortir avec lui.

Après six mois passés en mission humanitaire, il devait être en plus mauvaise forme qu'il ne le pensait.

En entrant dans sa chambre, il vit que le voyant du répondeur clignotait. Merry Montrose l'avait appelé pour lui proposer deux billets gratuits pour un dîner de croisière sur le yacht de l'hôtel. Puis, comme si le sort s'en mêlait pour lui faire oublier Cathie, il entendit la voix enjôleuse de Sharmaine l'inviter à cette même croisière.

Même s'il n'était pas transporté de joie à l'idée de passer une nouvelle soirée avec Sharmaine, il essaya de se persuader du contraire. Si Cathie ne voulait pas jouer le jeu, Sharmaine était prête à le faire. Sa compagnie était plaisante, bien que sa conversation soit parfois un peu superficielle. Et dans la mesure où son père figurait parmi les cinq cents plus grandes fortunes du pays, il doutait qu'elle soit intéressée par sa situation financière. En ce qui concernait Cathie…

Il secoua la tête. Il n'était pas parvenu à se faire une opinion pour le moment.

Il décrocha le combiné, mais, au lieu d'appeler Sharmaine, il composa le numéro de ses parents en Californie. Une discussion avec sa mère lui changerait les idées et améliorerait sûrement son humeur.

Sa sœur répondit.

— Izzy ? C'est toi ?

— Diego !

Toute l'énergie de sa sœur se répercuta dans ce seul mot.

— Quoi de neuf, frérot ?

— Je pourrais te demander la même chose. Tout le monde va bien ?

— Parfaitement bien. Maman est à une réunion du conseil d'administration, et papa est en pleine opération. Et toi ? Toujours en train d'essayer de sauver le monde ?

— Je fais de mon mieux. Mais les gens semblent de plus en plus obnubilés par l'envie de se détruire mutuellement. Un de ces jours, je crois que je vais finir par jeter l'éponge.

— Ça ne te ressemble pas. Tu es sûr que tout va bien ?

— Je dois reconnaître que je me sens fatigué. Ces six derniers mois ont été éprouvants.

— Pourquoi ne viendrais-tu pas passer quelques jours avec nous, histoire de te reposer et de voir la famille ? Tu connais à peine les enfants de Lucy.

— Tu exagères ! Tu sais bien que je vous téléphone régulièrement.

— Grand-mère serait tellement heureuse de te voir.

A l'évocation de sa grand-mère vénézuélienne, Diego se sentit fondre de tendresse. Elle avait été la première à réaliser qu'il ne suivrait pas la même voie que son père, et elle avait tout fait pour apaiser les inévitables tensions entre son fils et son petit-fils.

— Dis-lui que je l'aime et qu'elle me manque. Et le reste du clan Vargas aussi. Même toi, Izz.

— Pareil pour moi.

— Mouais…

Machinalement, il embrassa la pièce du regard. Autour de lui, ce n'était que luxe et beauté, mais il aspirait à autre chose. Quelque chose qu'il ne parvenait pas à formuler.

— Tu ne veux pas me dire ce qui te préoccupe ?

— Je t'assure que tout va bien.

Il s'assit sur le lit et délaça ses chaussures de tennis.

— Tu ne travailles pas, aujourd'hui ?

— C'est mon jour de repos, et j'ai promis à maman que je viendrais dîner à la maison.

— Edgar est avec toi ?

Il s'allongea dans les coussins du canapé et croisa les jambes.

— C'est de l'histoire ancienne.

— Nous sommes vraiment désespérants, tous les deux. Tu crois que l'un de nous finira par trouver l'âme sœur ?

— Alors c'est ça ton problème ?

— J'ai toujours rêvé de former un couple comme celui de nos grands-parents, mais je me demande si c'est encore possible de nos jours.

— Moi aussi. Papa et Maman n'ont assurément pas réussi à reproduire leur exemple. Parfois, je me demande même s'ils savent ce qu'est l'amour.

Mais Diego le savait. Il en avait fait l'expérience en Colombie, avec une femme de dix ans son aînée, capable d'un tel amour, d'une telle abnégation, qu'elle en était morte. Depuis, il en était arrivé à la conclusion que le véritable amour était mort avec elle.

— Tu as quelqu'un en vue ? demanda Izzy.

Tandis qu'une image de Sharmaine lui venait à l'esprit, il secoua la tête. Il était trop raisonnable pour s'intéresser à une enfant gâtée telle que Sharmaine.

— Non. C'est juste une histoire sans lendemain.

— Tu es toujours persuadé que les femmes n'en veulent qu'à la fortune familiale ?

— Tu me fais passer pour un prétentieux.

— Un homme qui croit n'être intéressant que pour son argent et son statut de médecin n'est pas prétentieux, il est déçu.

— J'ai mes raisons. Les filles ne s'intéressaient pas tellement à moi avant que je commence mes études de médecine et que je perçoive ma part de l'héritage de grand-père.

— Ne dis pas n'importe quoi. Toutes les femmes se retournent sur ton passage, avant même de savoir qui tu es. Même si tu ne t'en rends pas compte, tu es un homme terriblement attirant.

— Attention, sœurette, on dirait bien un compliment.

— C'en est un. Je sais que tu as vécu des expériences désagréables et qu'on s'est joué de toi, mais c'est du passé. Je sais que la personne idéale nous attend l'un et l'autre. Il faut juste que nous gardions la foi, et que nous mettions notre cynisme en sourdine. Faute de quoi, nous pourrions bien passer à côté du grand amour sans le remarquer.

Se pouvait-il qu'Izzy ait raison ? Y avait-il vraiment une femme semblable à Léa qui l'attendait quelque part ?

Il soupira en secouant la tête.

Il ne manquait pas de femmes pour croiser sa route. Mais l'amour ?

Non sans désespoir, il réalisa tout à coup qu'il avait cessé de croire en ce sentiment miraculeux.

4.

Cathie passait l'aspirateur dans le couloir avec une énergie que cette tâche était loin de requérir. Elle espérait que le travail lui changerait les idées, mais, sans cesse, l'image de Diego la poursuivait. Elle se surprenait même à espérer le croiser dans les couloirs.

Depuis qu'elle travaillait à La Luna, quelques hommes l'avaient remarquée, certains lui avaient même fait la cour, mais elle ne s'était jamais départie de son professionnalisme. Après José, elle n'avait plus prêté attention à personne.

Jusqu'à ce qu'elle rencontre Diego.

Tandis qu'elle coupait l'aspirateur le temps de déplacer un palmier en pot, Cathie aperçut son reflet dans le panneau de miroir placé près de l'ascenseur, et eut une grimace d'autodérision. A quoi pensait-elle ? Diego lui avait peut-être fait des avances, mais il n'était pas un homme pour elle. Elle n'était qu'une petite employée, et il n'y avait aucune raison qu'un médecin élégant et fortuné comme lui s'intéresse à elle. Vraiment pas. Il voulait juste s'accorder un peu de distraction pendant ses vacances. Puis il repartirait vers sa vie et la laisserait là, le cœur brisé. Elle connaissait ce genre d'hommes. Elle avait vu d'autres employées se laisser prendre à leurs pièges.

De toute façon, elle n'avait ni le temps, ni l'énergie pour sortir avec quelqu'un. Sa seule préoccupation était le bien-être de Maria.

Repoussant une mèche de cheveux derrière son oreille, elle remit l'aspirateur en marche.

Elle avait connu un homme merveilleux, et cela lui suffisait. Il n'était pas question qu'elle songe à refaire sa vie. Pas quand l'état de santé de sa belle-mère était aussi préoccupant.

Le dernier rendez-vous chez le Dr Attenburg avait anormalement épuisé Maria et, plus que jamais, elle craignait de la perdre. Au début, le médecin lui avait redonné de l'espoir. Mais cet espoir s'amenuisait jour après jour. Même le nouveau traitement, plus fortement dosé, ne semblait pas agir. Le médecin avait proposé de passer à trois séances par semaine, et Cathie avait accepté sans hésiter. Mais l'inquiétude la rongeait. Si seulement les journées comptaient plus d'heures ! Si elle pouvait se passer complètement de sommeil…

Non, décidément, elle ne pouvait pas se permettre de perdre son temps à penser à Diego.

Après une fantastique journée passée en mer, Diego prit une douche pour se débarrasser de l'odeur du poisson qui lui collait à la peau, et se changea, pressé de rejoindre au bar ses compagnons de pêche.

Une vivifiante application d'après-rasage, un bref coup d'œil dans le miroir, et il était prêt. Glissant sa carte magnétique et son portefeuille dans sa poche, il ouvrit la porte.

Habitué aux opérations à risque dans des contrées en guerre, il jeta un coup d'œil dans le couloir pour s'assurer que la voie était libre. Il vit alors Cathie quitter une chambre où il l'avait déjà vue entrer et sortir à plusieurs reprises. Comme elle s'engouffrait dans l'ascenseur, la porte de la chambre se rouvrit.

Intrigué, il attendit afin de savoir enfin ce qui occupait autant la jeune femme. Un petit ami expliquerait beaucoup de choses. Mais à sa grande surprise, il vit apparaître une femme aux cheveux blancs qui offrait une ressemblance frappante avec sa propre grand-mère.

— Cathie, appela-t-elle d'une voix chevrotante. Cathie.

Mais la jeune femme avait disparu depuis longtemps.

Sans réfléchir, Diego franchit la courte distance qui séparait la chambre de la vieille dame de la sienne.

— Je regrette, madame, mais Cathie vient juste de prendre l'ascenseur.

Surprise, la vieille femme crispa les doigts sur son chapelet et fit un pas en arrière.

Obéissant à une intuition, Diego s'adressa à elle en espagnol.

— Avez-vous besoin de quelque chose ?

Les yeux bruns de la vieille dame s'éclairèrent en entendant parler sa langue natale, mais elle secoua doucement la tête.

— Non, merci.

Comme elle esquissait un geste pour refermer la porte, Diego posa la main sur le battant.

— Excusez-moi. Puis-je vous demander à qui est cette chambre ?

— Mais, à moi, bien sûr. Et à ma fille Cathie.

Sa fille ?

— S'il vous plaît, murmura-t-elle.

Sa main diaphane était agitée de tremblements, et Diego réalisa aussitôt qu'elle était trop faible et trop malade pour rester debout plus longtemps.

— Je suis médecin, dit-il. Laissez-moi vous aider.

Doucement, il la guida vers l'intérieur et l'aida à prendre place dans un fauteuil. Puis, toujours en espagnol, il l'assura de ses bonnes intentions et lui offrit de nouveau son aide.

Finalement, rassurée, elle lui dit son nom, et lui expliqua qu'elle ne parvenait pas à ouvrir son flacon de gélules.

— C'est Cathie qui le fait pour moi, conclut-elle, encore essoufflée par l'effort, mais elle a été appelée en catastrophe.

— Dites-moi où se trouvent vos médicaments. Je vais m'en occuper.

D'un geste vague, la vieille dame indiqua la kitchenette située derrière un comptoir ouvert sur la partie salon. La suite était beaucoup plus petite et moins luxueuse que la sienne. Il y flottait une odeur de pommes cuites et les notes vanillées du parfum de Cathie.

Sur une table basse, près d'une bible usée, se trouvait la photographie d'un jeune homme au visage sérieux qui tenait par les épaules une Cathie rayonnante de bonheur. Voilà qui expliquait la présence de Cathie dans cette chambre, et son indifférence à son égard. Il n'avait pas envisagé qu'elle pouvait être mariée. Elle ne portait pas d'alliance.

Pourtant, la suite ne révélait pas la moindre présence masculine. D'ailleurs, Maria n'avait mentionné qu'elle et Cathie comme occupants. Où que soit le mari de Cathie, il ne vivait pas avec elle.

En ouvrant les placards, il remarqua qu'ils étaient presque vides, à l'exception de quelques ustensiles de base. Visiblement, les deux femmes ne roulaient pas sur l'or.

— C'est ça ? demanda-t-il en montrant un flacon de plastique sombre.

Le nom sur l'étiquette ne lui disait rien. Mais cela n'était pas étonnant. Durant les six mois que Diego avait passés à l'étranger, des dizaines de nouveaux produits pharmaceutiques avaient pu être lancés sur le marché américain.

— Oui.

Il prit un verre dans le placard et une bouteille d'eau minérale dans le réfrigérateur. Là aussi, les rayons étaient presque vides.

— Ainsi c'est vous, Diego Vargas, le beau médecin dont m'a parlé Cathie.

Aussitôt, Diego se sentit sur la défensive.

— Cathie me raconte beaucoup d'anecdotes sur les clients. Comme je ne peux pas sortir, ça me distrait un peu. Parfois, je me dis qu'elle exagère pour mieux me divertir. Mais avec vous, elle n'a pas exagéré.

Il supposait qu'il s'agissait d'un compliment mais, compte tenu de sa nature méfiante, il se demanda pourquoi Cathie parlait de lui.

— Vous êtes la belle-mère de Cathie, c'est bien ça ?

— Oui.

— J'ignorais qu'elle était mariée.

Une lueur de tristesse passa dans le regard de Maria.

— Elle l'était. Avec mon José.

Elle fit un rapide signe de croix.

— Dieu ait son âme. C'était un si bon garçon.

— Je suis navré. Je n'avais pas réalisé.

— Ne soyez pas désolé. Nous pouvons parler de lui. Ainsi, c'est comme s'il était encore parmi nous. Et puis, il m'a fait connaître Cathie. C'est elle qui prend soin de moi, maintenant. Ce n'est pourtant pas faute de lui répéter qu'elle devrait plutôt me ramener au Mexique et se trouver un riche mari.

Les yeux sombres de la vieille dame pétillèrent de malice, mais Diego ne vit rien d'amusant au fait qu'une femme puisse ne s'intéresser à un homme que pour son argent. Cependant, Maria lui était sympathique. Parler espagnol avec elle lui rappelait les longues conversations qu'il avait autrefois avec sa grand-mère. Il devait juste se souvenir d'être très prudent avec Cathie.

Une heure passa, et Diego oublia ses nouveaux amis qui l'attendaient au bar. Il apprit que les deux femmes étaient venues du Texas pour se rapprocher d'un certain Dr Attenburg, le seul médecin capable de leur apporter une solution à la maladie de Maria. Il découvrit aussi que Cathie occupait une multitude de fonctions dans l'hôtel, et ce pour payer les traitements affreusement coûteux de sa belle-mère.

— Elle travaille trop, conclut Maria. Chaque fois qu'elle croit avoir enfin une minute de répit, on l'appelle et elle recommence à courir. Quelqu'un a besoin d'une serviette, quelqu'un s'est blessé, quelqu'un a perdu sa clé… Le travail, toujours le travail.

Diego sentit la culpabilité l'envahir. Tandis qu'il la suspectait de motivations inavouables, Cathie s'épuisait à gagner un argent qui lui faisait terriblement défaut.

Lorsque Cathie poussa la porte de sa chambre, elle faillit laisser tomber le plateau du dîner. Diego était assis dans le salon et discutait avec sa belle-mère comme si elle était une amie de longue date.

— Que faites-vous là ? demanda-t-elle d'un ton peu amène.

— Ravi de vous voir, moi aussi.

— Cathie, ma chérie ! Tu connais le Dr Vargas. Il m'a sauvé la vie, aujourd'hui.

— Quoi ?

Alarmée, elle se précipita vers Maria, posant au passage son plateau sur la table.

— Que s'est-il passé ? Vous allez bien ?

— Oui, rassure-toi, c'est juste une façon de parler. Il ne s'est rien passé de grave. J'avais seulement oublié de prendre mes gélules, et Diego m'a aidée.

— Vos gélules ! Oh, *mama*, je suis désolée. J'ai oublié de vous donner votre médicament.

— Heureusement pour moi, intervint Diego. Sinon, je n'aurais jamais rencontré cette charmante personne.

Le compliment fit pétiller les yeux de Maria.

— Il y a bien longtemps que je n'ai pas eu la compagnie d'un aussi bel homme.

— Dans ce cas, dit Diego en se levant, vous me permettrez peut-être de revenir ?

— Avec plaisir. Vous me parlerez encore de tous ces endroits extraordinaires où vous êtes allé.

Maria se tourna vers sa belle-fille.

— Il est monté à dos d'éléphant.

— Formidable.

Cathie se moquait bien qu'il soit allé sur Saturne en tapis volant ! Le fait même qu'il ait voyagé à travers la planète ne faisait que creuser le fossé entre eux. Ils n'étaient pas du même monde, et Diego n'avait pas la moindre idée de ce que signifiait vivre sans argent. Leurs préoccupations n'étaient sans aucun doute pas les mêmes. Tout ce qu'elle voulait, c'était que Maria guérisse enfin, pour pouvoir rentrer chez elle.

A peine Diego eut-il refermé la porte derrière lui que Maria se laissa aller contre le dossier de son fauteuil, les yeux fermés.

— *Mama*, vous êtes épuisée, remarqua Cathie d'un ton de reproche. Vous auriez dû lui demander de s'en aller.

— S'en aller ?

Elle secoua la tête.

— Nous avons parlé espagnol, et c'était comme si mon José était revenu.

Le cœur de Cathie se serra.

— Il ne ressemble en rien à José.

— Tu ne trouves pas ?

— Non.

— Mais tu admets quand même qu'il est gentil et séduisant ?

Il était beaucoup trop séduisant. Et d'après la façon dont il s'était comporté avec Maria, il était probable qu'il soit également assez gentil. Mais il n'était pas question qu'elle le reconnaisse. Elle préférait penser du mal de lui. C'était moins dangereux.

Espérant détourner l'attention de Maria, elle

désigna d'un geste de la main le plateau qu'elle avait posé sur la table.

— Richie vous a préparé quelque chose.

Le chef cuisinier avait un petit faible pour elle et, bien qu'elle fasse attention à ne pas profiter de la situation, Cathie ne refusait jamais les restes de nourriture qu'il lui proposait.

— Pourquoi ne veux-tu pas parler de Diego ?

— D'accord, vous avez gagné. Je suis tombée plusieurs fois sur lui par hasard depuis son arrivée, et il s'est mis en tête que je lui courais après.

Contre toute attente, Maria éclata de rire.

— Ce ne serait peut-être pas une mauvaise idée.

— Je ne cherche pas d'homme, *mama*.

— Mais tu devrais. Tu es jeune et seule. Lui aussi. Il ferait un bon mari. Il te donnerait des enfants. Tu as besoin d'une famille.

— Je vous ai déjà répété des centaines de fois que vous êtes la seule personne qui compte pour moi. Vous êtes ma famille, et je ne vous quitterai jamais. Maintenant, arrêtez de jouer les marieuses. Je ne suis pas intéressée par votre beau visiteur.

Même si Maria avait été en bonne santé, et si Diego n'avait pas été totalement hors de sa portée, elle ne se serait pas autorisée à tomber amoureuse de lui. Diego travaillait dans le domaine humanitaire, et elle ne pourrait pas supporter de nouveau ce genre de vie. Lorsqu'elle était enfant, son père était membre de l'armée de l'air, et elle n'avait cessé de déménager au gré de ses affectations. Aujourd'hui, elle aspirait à une vie sédentaire. Elle voulait planter des roses et les voir fleurir années après années. Elle voulait vivre dans une petite ville où les gens l'appelleraient par son nom. Et si elle avait le bonheur d'avoir des enfants, elle voulait qu'ils restent inscrits dans la même école plus que quelques mois.

A n'en pas douter, Diego représentait tout ce dont elle ne voulait pas chez un homme.

Diego venait de comprendre ce qui n'allait pas : il s'ennuyait affreusement.

Machinalement, il fit encore défiler quelques chaînes à l'aide de la télécommande, puis renonça et éteignit le téléviseur.

Guère habitué à l'oisiveté, il avait vite épuisé les charmes du soleil et de la mer. Quant à

Sharmaine, il commençait à se lasser de ses conversations superficielles. En revanche, il ne pouvait chasser de son esprit ni Cathie Fernandez, ni sa belle-mère. Il rencontrait la jeune femme partout, mais elle semblait l'éviter. Rien de plus vexant pour un ego masculin.

Pour ce qui était de Maria, il s'inquiétait de son état de santé. Il était retourné la voir, et les symptômes qu'elle lui avait décrits, tout comme le traitement qu'elle suivait, le laissaient perplexe. Cette fois, ce n'était plus l'homme mais le médecin qui se sentait vexé.

Peut-être ferait-il mieux de mettre un terme à ses vacances et de rentrer chez lui, en Californie. Mais là-bas aussi il serait inutile. Il était un homme d'action, quelqu'un qui avait besoin d'un but dans la vie. Il avait pensé proposer ses services à l'antenne médicale de l'hôtel, puis il y avait renoncé. L'infirmière ne voyait rien d'autre que quelques coups de soleil et de rares piqûres de méduses, des cas bien anodins en comparaison des traumatismes qu'il avait à gérer en temps normal.

Repoussant sa chaise, il se dirigea vers le réfrigérateur et y prit un soda. Les rayons, débordants de nourriture, lui firent de nouveau penser à ces deux femmes qui manquaient visiblement de tout, ce qui n'était pas sans l'inquiéter.

Maria était malade. Elle avait besoin d'aliments sains et appétissants. Il l'aimait bien. Il avait l'intention de la revoir et d'essayer d'en savoir plus sur son affection, même s'il n'était pas question pour lui de s'immiscer dans les décisions d'un confrère.

Il traversa la pièce et alla se planter devant la fenêtre, d'où il admira pendant quelques minutes le bleu-vert de l'eau et le sable blanc rosé de la plage. Puis il se dirigea vers le téléphone.

Après tout, pourquoi pas ? Puisqu'il ne savait pas quoi faire…

— Oh, la barbe !

Diego entendit cette exclamation agacée au moment où il franchissait le seuil de la boutique de fleurs et de cadeaux. Se frayant un passage entre les présentoirs de cartes postales, les ours en peluche et les diverses babioles qui encombraient les lieux, il repéra une silhouette familière derrière un comptoir jonché de verdure. Cathie bataillait avec un bouquet de tulipes rouges et une feuille de papier cristal.

— Un souci ?

Elle releva brusquement la tête.

— Encore vous !

Il eut un sourire narquois.

— J'allais dire la même chose.

Elle poussa un soupir d'exaspération et repoussa une mèche de cheveux derrière son oreille.

— Excusez-moi, c'était grossier. J'aurais dû dire : puis-je vous aider ?

Cette fois, Diego éclata de rire.

— Compte tenu de votre expression quand je suis entré, je dirais que vous pensiez davantage à faire un sort à ces pauvres fleurs.

Avec un haussement d'épaules, elle acheva de fixer la cellophane à grand renfort d'agrafes.

— Je ne suis pas très douée pour les arrangements floraux.

— Dans ce cas, pourquoi travaillez-vous chez un fleuriste ?

— Je remplace Garrett pendant sa pause déjeuner.

Elle redressa une fleur qui penchait.

— Il ne m'a pas demandé de préparer les bouquets, mais je voulais m'exercer. Quand c'est Garrett qui le fait, ça a l'air tellement facile, mais il faut croire que je n'ai pas la fibre artistique.

Diego considéra l'horrible bouquet.

— Ce n'est pas si mal.

— Ne mentez pas ! C'est une catastrophe. Elles sont invendables, et Garrett va sûrement me passer un savon.

— Elles me plaisent beaucoup. Je les prends.

— Certainement pas !

Diego examina les fleurs avec le plus grand sérieux.

— On dirait qu'il y en a une qui me regarde.

— C'est parce que sa tête est cassée. Et la même chose m'attend au retour de Garrett.

— Elles seront parfaites dans ma chambre. Le rouge est parfaitement assorti à... hum... eh bien...

— Diego, je ne peux vous laisser acheter cette horreur.

— Je croyais que le client avait toujours raison.

A bout d'arguments, Cathie s'appuya contre le comptoir.

— Très bien. Prenez-les, si vous y tenez tellement.

— Je suis ravi que ce soit réglé, dit-il avec un

petit air satisfait qu'elle trouva particulièrement agaçant. J'ai également besoin d'un bouquet pour une amie. Quelque chose d'élégant et de gai.

Cathie faillit lui demander si c'était pour Sharmaine Coleman mais s'en abstint. Diego pouvait bien offrir des fleurs à qui il voulait. Tout en se dirigeant vers la vitrine réfrigérée, elle demanda :

— Des roses ?

Il étudia quelques instants sa suggestion, les sourcils froncés.

— Je ne crois pas qu'elle soit le genre de femme à aimer les roses. Peut-être celles-ci.

Il pointa le doigt vers un bouquet tout fait de lys orangés, et Cathie ne put s'empêcher d'observer ses mains. Des mains de médecin, aux ongles courts et nets, à la fois douces et fermes, qui savaient soigner et réconforter. Qu'éprouverait-t-elle sous la caresse de ces mains sur son corps ?

Surprise de l'indécence soudaine de ses pensées, Cathie ne put s'empêcher de rougir.

— Celles-ci ? demanda-t-elle en sortant le bouquet de la vitrine.

— Qu'en pensez-vous ? Est-ce qu'elles lui plairont ?

— Elles sont magnifiques.

— Oui, mais les trouvera-t-elle à son goût ? Vous la connaissez mieux que moi.

Elle ne savait rien de particulier au sujet de Sharmaine, en dehors de sa beauté évidente et de son mépris pour les employés de l'hôtel. Mais elle n'avait aucun mal à deviner que la riche mondaine de Géorgie s'attendrait à quelque chose de plus élaboré et de plus cher.

— Je suis sûre que Mlle Coleman les trouvera charmantes.

— Mlle Coleman me les jetterait au visage.

— Mais alors… ?

— Elles sont pour Maria.

— *Mama* ? demanda-t-elle, certaine d'avoir mal entendu. Je ne comprends pas.

— Votre belle-mère a accepté de déjeuner avec moi.

Cathie cilla, se sentant soudain aussi déplacée que son pauvre bouquet de tulipes.

— Déjeuner ?

— Parfaitement. Vous vous souvenez de quoi il s'agit, n'est-ce pas ? Ou avez-vous tellement pris l'habitude de grignoter un morceau en passant que vous en avez oublié le plaisir de s'asseoir pour déguster un bon repas ?

— Comment le savez-vous ?

— A propos de vos déplorables habitudes alimentaires ? Maria se fait du souci pour vous.

— Elle vous en a parlé ?

— De ça, et d'autres choses.

Cathie agita les mains devant elle.

— Ça suffit. C'est très aimable à vous de vous intéresser à ma belle-mère, mais vous êtes en vacances. Ne vous croyez pas obligé de vous inquiéter pour nous. Nous sommes parfaitement capables de nous débrouiller seules.

— Ça ne m'ennuie pas du tout de m'occuper de Maria. Elle est tellement attachante !

Cathie eut un sourire attendri.

— Je sais, mais…

— Pas de mais ! Si vous veniez plutôt déjeuner avec nous.

— Je ne peux pas. Je travaille.

Garrett choisit ce moment précis pour jaillir de l'arrière-boutique.

— Je te relève officiellement de tes fonctions, déclara-t-il d'un ai enjoué.

Puis il se figea et pointa l'index vers le bouquet que Diego tenait à la main.

— Mais… quelle est cette chose ?

— Garrett, promets-moi de ne pas te fâcher, dit Cathie.

— Magnifique, n'est-ce pas ? déclara Diego. Je l'ai fait moi-même.

— Vraiment ? demanda Garrett d'un ton dubitatif.

— Absolument. J'ai soudain éprouvé le besoin irrépressible de créer quelque chose. Vous savez ce que c'est, n'est-ce pas, Garrett ? Et Cathie a eu la gentillesse de me laisser exercer mes talents sur ces fleurs.

Dans le dos de Garrett, Cathie contenait à grand-peine son fou rire.

Diego jeta un regard à sa montre.

— Il est l'heure, Cathie. Le repas nous attend.

— Non, vraiment, Diego, je ne peux pas. Je dois aider Mlle Hammond cet après-midi à faire l'inventaire des dons reçus pour sa vente aux enchères.

Tout en continuant d'observer le bouquet de tulipes d'un œil suspicieux, Garrett intervint.

— Oh, mais tu n'es pas au courant ? Mlle Hammond est partie pour le continent, il y a à peine dix minutes. Elle ne sera pas de retour avant ce soir. L'inventaire devra attendre jusqu'à demain.

— Oh ?

Et maintenant, que pouvait-elle inventer pour éviter de déjeuner avec cet homme beaucoup trop séduisant et qui lui faisait tourner la tête ?

— Je peux sûrement trouver quelque chose à faire, protesta-t-elle mollement.

— Allez, allez, pas de manières, déclara Garrett. Puisqu'on t'invite si gentiment.

— Mais…

Diego considéra un instant le bouquet, avant de tourner les yeux vers elle, un sourcil levé d'un air machiavélique. Le scélérat ! Il utilisait les tulipes pour la faire chanter.

Eh bien soit ! Elle allait l'accompagner. Mais qu'il ne compte pas sur elle pour animer la conversation.

Relevant le menton, elle eut un petit reniflement de mépris pour bien lui montrer ce qu'elle pensait de son attitude, et le suivit sans un mot hors de la boutique.

5.

Paris Hammond était une sorcière.

Voilà la pensée peu charitable qui traversa l'esprit de Cathie tandis qu'elle se démenait pour satisfaire l'exigeante organisatrice d'événements. Elle aurait préféré travailler avec sa sœur, la sympathique Jackie. Mais cette dernière était occupée à préparer son mariage, et le personnel de l'hôtel était à la merci de Paris.

La plupart du temps, les gens comme elle la laissaient indifférente. Elle accueillait leurs caprices avec un sourire poli et s'efforçait de les satisfaire au mieux. Mais aujourd'hui, même si elle était heureuse de participer à la préparation de la vente aux enchères, Cathie ne se sentait pas d'humeur conciliante. Elle souffrait d'une terrible migraine, qu'elle attribuait en partie à Diego Vargas.

La nuit précédente, elle était restée allongée

dans son lit les yeux ouverts, à faire le tri dans le flot d'émotions contradictoires dont elle était la proie. Elle avait toujours gardé ses distances avec les clients et, en dépit de l'attirance qu'elle éprouvait pour lui, elle aurait fait de même avec Diego s'il ne s'était pas montré aussi attentionné envers Maria.

A présent, elle ne pouvait plus le considérer comme un riche client de passage. Il était avant tout un homme. Un homme de chair et de sang, avec un cœur généreux.

Après avoir réussi à la convaincre de déjeuner avec lui, il avait reporté toute son attention sur Maria. Pour la première fois depuis bien longtemps, Cathie avait vu les yeux de sa belle-mère s'illuminer de joie tandis qu'elle riait sans retenue aux plaisanteries que lui contait Diego en espagnol. Et la jeune femme en était infiniment reconnaissante à ce dernier.

— Cathie, vous avez l'intention de finir ces étiquettes, ou faut-il que j'engage un singe savant pour finir votre travail ?

La voix stridente de Paris vrilla les oreilles de Cathie et ne fit qu'accroître son mal de tête.

Elle se retint de lui rétorquer qu'un singe

l'aurait déjà mordue avant de s'enfuir dans la jungle.

— C'est presque fini. Que voulez-vous que je fasse ensuite ?

Au même moment, la directrice de l'hôtel entra en compagnie de Sharmaine Coleman. Paris reposa une aquarelle encadrée et se précipita vers les deux femmes.

— Sharmaine. Merry. J'espérais justement avoir enfin une conversation intelligente. Dites-moi que vous êtes venues m'aider.

Sharmaine eut un petit rire qui manquait de naturel.

— Ne comptez pas sur moi. Je voulais vous inviter à dîner dans l'espoir de vous soutirer une invitation au mariage de votre sœur, la semaine prochaine.

Un soupir exagéré s'échappa de ses lèvres artificiellement gonflées.

— J'aime tellement les mariages.

— Ce qui explique sans doute pourquoi vous vous êtes mariée si souvent, lança Paris.

Loin de s'offusquer, Sharmaine parut trouver la remarque très amusante.

— C'est tellement vrai. Et j'espère bien ne

pas m'arrêter là. De plus, on ne peut pas dire que je sois exigeante...

Elle marqua une pause pour mieux ménager son effet.

— Du moment que mon prochain mari est assez riche pour m'assurer le train de vie auquel je suis habituée.

Une lueur d'intérêt passa dans le regard de Merry Montrose.

— Je suppose que vous avez quelqu'un en vue. Un beau médecin de notre connaissance, par exemple.

Cathie s'efforçait de taper les dernières étiquettes à l'ordinateur sans prêter attention à la conversation, mais la tâche s'avérait presque impossible. Elle détestait l'idée que Sharmaine s'intéresse à Diego pour sa fortune, ou que sa directrice joue les entremetteuses.

Non que cela la concerne, évidemment. Diego était assez grand pour se défendre tout seul. Et Cathie ne doutait pas qu'un homme aussi séduisant ait déjà eu à se tirer des griffes de femmes plus avides, plus agressives et plus intelligentes que Sharmaine Coleman.

Elle cliqua sur l'icône de l'imprimante et repoussa son fauteuil. Un peu partout dans la salle de bal attendaient les articles pour la vente de charité. Certains venaient juste d'arriver et étaient encore emballés.

Elle se dirigea vers l'endroit où les trois femmes s'extasiaient sur une robe en lamé portée par une célèbre actrice à la cérémonie des Emmy Awards.

— Les étiquettes sont en train de s'imprimer. Je peux commencer les cartes de remerciement, si vous voulez.

Paris tapota son stylo sur ses lèvres.

— Hmm. Plus tard. Avant, je voudrais que vous ouvriez ces nouveaux paquets et que vous les inventoriez. Oh, et rangez-moi ce désordre, c'est insupportable.

Des cartons, du film plastique à bulles, du papier kraft et divers objets jonchaient le sol, jetés là par une Paris dévorée d'impatience. Sans prendre la peine de souligner ce détail mineur, Cathie commença à remettre de l'ordre.

La porte s'ouvrit tout à coup et Diego entra, une grande enveloppe à la main. Cathie se concentra sur sa tâche, prenant le temps de trier ce qui était recyclable et ce qui ne l'était pas, mais elle ne put s'empêcher de jeter un coup d'œil dans sa direction.

Le hasard voulut que leurs regards se croisent, et cet échange muet fit battre plus fort le cœur de Cathie.

— Mesdames, bonjour ! lança-t-il à la cantonade.

— Diego chéri ! s'écria aussitôt Sharmaine. Vous me cherchiez ?

— Bonjour Sharmaine.

Après un sourire courtois mais vaguement indifférent, Diego tendit l'enveloppe à Paris.

— C'est arrivé ce matin de Los Angeles, de la part de ma sœur. Elle est toujours partante pour une bonne cause.

Vexée par le manque d'attention de Diego à son égard, Sharmaine mit tout en œuvre pour se faire remarquer.

Saisissant un programme, elle s'éventa ostensiblement.

— Hou, il fait une chaleur, ici ! Je crois que je vais aller me baigner.

Puis elle tourna un regard enjôleur vers Diego et ajouta :

— Qui m'aime me suive.

— J'aurais été ravi de vous accompagner, prétendit Diego, mais je suis déjà pris.

— Oh.

Battant des paupières, Sharmaine se tourna vers Paris.

— Nous dînons toujours ensemble, ce soir ?

— Désolée, chère amie, mais je suis absolument débordée. Demain, peut-être.

— Franchement, je ne vois pas à quoi il sert de venir ici si c'est pour se tuer au travail.

Avec un soupir d'exaspération, Sharmaine cala sa pochette Vuitton sous son bras et quitta la pièce d'un air de dignité offensée.

— Cette femme n'a jamais rien fait de productif de sa vie, déclara Paris. Mais c'est ce qui fait son charme.

Puis elle ouvrit l'enveloppe et en sortit un certificat qui lui arracha un cri de joie.

— Merry, regardez ! La sœur du Dr Vargas offre des injections gratuites de Botox. Vous devriez enchérir pour les obtenir.

La directrice lança un regard courroucé à Paris, et Cathie ne put s'empêcher de faire diversion. Ce n'était pas très gentil de faire remarquer à cette pauvre femme qu'elle n'était plus toute jeune. Et puis tout le monde finissait par vieillir un jour ou l'autre.

— Excusez-moi, mademoiselle Hammond.

Voulez-vous que je répertorie ce certificat avec les autres donations ?

— Pour l'amour du ciel, Cathie ! Ne voyez-vous pas que nous sommes en pleine conversation ?

Paris adressa un regard entendu à Diego.

— Il est de plus en plus difficile de trouver du personnel compétent.

Cathie sentit une vague de chaleur lui monter au visage sous le coup de l'humiliation et retint une remarque acerbe. Elle avait l'habitude de la mesquinerie de Paris, mais cette fois elle avait dépassé les bornes. Malheureusement, il était impossible de lui répondre devant la directrice, aussi Cathie ravala-t-elle sa fierté.

Mais Paris n'en avait pas terminé avec elle. Agitant les doigts d'un geste de renvoi, elle s'impatienta :

— Au lieu de rester les bras ballants, essayez de vous rendre un peu utile, ma petite. Par exemple en allant me chercher quelque chose à grignoter. Demandez à Richie de me préparer mon sandwich préféré au concombre et au saumon. Allons, dépêchez-vous un peu.

Imperturbable en apparence, Cathie déplaça avec précaution un carton empli de flocons de polystyrène, déglutit avant de parler, et se félicita d'entendre que sa voix ne laissait rien paraître de sa nervosité.

— Mademoiselle Montrose, monsieur Vargas, souhaitez-vous également quelque chose ?

Une lueur presque inquiétante s'alluma dans les yeux sombres de Diego.

— Eh bien, figurez-vous que oui.

A la grande surprise de Cathie, il lui prit la main.

— J'ai le plus grand besoin de votre aide. En tant que nouveau client — il insista lourdement sur le mot *client* — il me reste encore beaucoup de choses à découvrir. J'ai entendu parler de chemins de randonnée et d'un programme de préservation de la nature, et j'aimerais beaucoup que vous me montriez tout cela.

— Eh bien… c'est-à-dire que…

Le regard hébété de Cathie passa de Diego à Merry et à Paris.

Il commença à l'entraîner vers la porte, tout en continuant à parler.

— Mlle Montrose ne vous en voudra pas. N'est-ce pas, chère Merry ? Servir et faire plaisir, c'est bien votre devise, je crois ? Je connais une quantité de gens qui seront ravis de venir ici quand je leur aurai parlé de l'exceptionnelle qualité du service.

Merry se mit à triturer le col de son chemisier, aussi rougissante que Cathie.

— Eh bien... Mais oui, naturellement. Nous avons des guides professionnels pour cela, mais si vous préférez une personne en particulier, nous ne demandons pas mieux que de vous satisfaire. Allez-y, Cathie. Mais n'oubliez pas que vous êtes de service à l'Oasis ce soir.

— Mais je... attendez ! Mlle Hammond a besoin de moi.

Avant qu'elle ait eu le temps de protester davantage, Cathie fut entraînée hors de la pièce, loin des regards ébahis des deux femmes.

— Flûte !

En proie à un mélange de désarroi et de colère, Merry regarda Diego et Cathie quitter la salle de bal. Quel était le problème avec cet homme ? Elle avait tout essayé, hormis une potion magique, pour l'inciter à tomber amoureux de Sharmaine, et il ne se montrait pas du tout coopératif. Issue de la meilleure société de Géorgie, Sharmaine avait pourtant tout ce qu'il fallait pour devenir une femme de médecin. Elle était belle, mondaine, et savait gérer au mieux son patrimoine. Que diable Diego pouvait-il souhaiter d'autre ?

Les hommes ! Ils étaient incapables de reconnaître ce qui était bon pour eux. C'était bien la peine qu'elle se donne autant de mal ! Cet idiot prêtait plus attention à Cathie qu'à la femme qu'elle avait choisie pour lui. Comment pourrait-elle briser le sort qui pesait sur elle si ses victimes n'y mettaient pas un peu du leur ?

— Merry, vous allez bien ? s'inquiéta Paris en lui tapotant l'épaule. Vous semblez bouleversée.

Bouleversée ? Furieuse, plutôt. Plus elle y pensait, plus elle avait envie de hurler de rage.

— Je commence à croire que Diego Vargas a subi un traumatisme crânien lors de sa dernière mission.

Paris eut une moue vaguement ennuyée.

— Je ne vois pas ce qui peut vous intéresser à ce point dans la vie sentimentale de vos clients.

Merry se mordilla la lèvre. Elle en avait presque déjà trop dit. Si elle voulait conserver une chance de retrouver sa vie d'avant, personne ne devait rien savoir.

— Rien de spécial, naturellement, s'empressa-t-elle de répondre. Mais c'est bon pour les affaires, quand les clients font des rencontres, s'amusent un peu plus qu'à l'accoutumée. Ensuite, ils vantent à leurs amis l'atmosphère romantique, le charme des personnes qui fréquentent notre établissement, les vacances formidables qu'ils ont passées…

Paris leva les yeux au ciel, comme si elle pensait que Merry était sénile.

— Eh bien, dans ce cas, je crois que vous misez sur le mauvais cheval.

— Que signifie exactement cette expression populaire ?

Merry commençait à se tracasser, et ce n'était pas bon pour la digestion. La veille, elle s'était gavée de médicaments, mais ils ne semblaient pas très efficaces.

— Ma chère Merry, dit Paris avec une patience feinte. Diego semble apprécier suffisamment Sharmaine pour dîner une fois ou deux avec elle, mais ça n'ira pas plus loin.

— Vous voici donc devenue experte en la matière ?

Merry connaissait Paris depuis le lycée. Elles étaient alors d'excellentes amies, principalement parce qu'elles étaient assez semblables sur le plan du caractère. Et même si Paris ne la reconnaissait pas derrière cette façade décrépite, elles communiquaient toujours avec ce mélange de snobisme et de moquerie cruelle qui faisait leurs délices.

Tout en inclinant la tête de côté, Paris se mit à tapoter du pied avec agacement.

— Vous avez remarqué la façon dont notre beau docteur regardait Cathie ? S'il y a une femme qui l'intéresse sur cette île, c'est votre petite employée, bien que je ne voie pas ce qu'il peut lui trouver.

Rien n'aurait pu surprendre davantage Merry. Cathie ? Avec le beau et riche Diego Vargas ?

— Fermez la bouche, Merry, ou vous risquez d'avaler un moustique, fit remarquer Paris.

— Oh, taisez-vous ! Je réfléchis.

Reportant son attention sur son bloc-notes, Paris ironisa.

— Le ciel nous vienne en aide.

Les idées se bousculaient dans la tête de Merry. Elle s'était tellement focalisée sur l'évidence qu'elle en avait négligé l'improbable. Bon sang ! Depuis quand avait-elle perdu son intuition légendaire ? Elle se moquait de qui tombait amoureux, pourvu que sa marraine reconnaisse qu'elle y était pour quelque chose.

Cathie et Diego. Qui aurait cru une telle chose possible ? Finalement, c'était bien pratique que Cathie soit son employée. Elle n'avait qu'à claquer des doigts pour l'envoyer chez Diego à la moindre occasion.

A la pensée de son futur succès, une délicieuse sensation de bien-être réchauffa ses vieux os.

Réunir ce couple-là serait un jeu d'enfant.

— Que faites-vous ? demanda Cathie, tandis que Diego l'entraînait à l'extérieur.

— Je croyais pourtant avoir été clair. J'ai besoin d'un guide pour explorer les chemins de randonnée.

— Arrêtez de vous moquer de moi !

Elle libéra sa main, toujours prisonnière de la sienne, en dépit de la sensation de sécurité que lui procurait ce contact. Elle était incapable de réfléchir quand il la touchait.

— J'ai l'impression que vous cherchez vraiment à me faire renvoyer.

Diego lui adressa un sourire confiant.

— Merry Montrose ne vous renverra pas. Elle est trop maligne pour ça. Vous travaillez dur, et je suis un bon client — ses deux genres de personnes favoris.

Cathie se mordilla la lèvre.

— J'espère que vous avez raison. Vous savez combien il est important pour moi de garder mon travail.

— Important au point de laisser Paris Hammond vous traiter avec mépris ?

— Ça fait aussi partie de mes attributions.

Il eut un regard moqueur.

— Dans ce cas, vous espérez que je me montre condescendant tout l'après-midi ?

Elle sourit, enfin détendue.

— Bien sûr que non ! De toute façon, vous n'étiez pas sérieux à propos de cette promenade.

— Vous croyez ?

Cathie sentit son pouls s'accélérer.

— Vous l'étiez ?

— Puisque votre directrice a approuvé notre petite sortie, nous n'avons pas le choix. Il faut y aller.

— Mais je ne peux pas ! Il faut que je m'occupe de Maria.

— Je vous accompagne.

— C'est inutile.

— J'avais prévu de lui rendre visite, de toute façon. J'ai un livre dans ma chambre qui devrait lui plaire.

— Je trouve que vous vous voyez beaucoup, ces derniers temps. Feriez-vous la cour à ma belle-mère, par hasard ?

— Je n'ai malheureusement pas cette chance.

Il se pencha devant elle pour appeler l'ascenseur, et une bouffée d'eau de Cologne emplit les narines de Cathie, éveillant chez elle des sensations depuis longtemps enfouies.

Diego était un homme bon, attentionné, même s'il affichait une réserve qui le rendait parfois difficile à comprendre. Parfois, il l'observait avec un regard sombre, comme s'il la suspectait des crimes les plus odieux. A d'autres moments, il l'ignorait complètement et n'accordait son attention qu'à Maria. Et puis il lui arrivait, comme aujourd'hui, de lui venir en aide, ce qui ne manquait pas d'éveiller en elle les émotions les plus confuses.

Diego était une énigme qui exerçait une étrange emprise sur elle. Fort heureusement, il n'était que de passage et, après son départ, tout rentrerait très vite dans l'ordre.

Ils traversèrent une jungle odorante, peuplée d'oiseaux et de papillons, et animée de bosquets d'hibiscus pourpres et d'orchidées roses. Puis ils s'engagèrent sur un chemin étroit, taillé dans le roc, qui surplombait des ravins vertigineux. Soudain, la pente déboucha sur une corniche qui formait un belvédère au-dessus de la rivière. Un nuage de brume s'élevait de la cascade dans un grondement sourd. L'eau tombait dans un jaillissement d'écume et, au pied des chutes, le vacarme était assourdissant.

— C'est magnifique, cria Diego. Combien fait ce circuit ?

— Cinq kilomètres. Mais nous ne sommes pas obligés d'aller jusqu'au bout.

— Bien sûr que si ! Je ne suis pas du genre à rebrousser chemin aussi facilement.

Etrangement, Cathie espérait qu'il répondrait cela. Ce qui avait commencé comme une ruse pour lui permettre d'échapper à Paris se transformait finalement en un après-midi fort agréable.

— Vous voulez que je vous parle de la flore et de la faune, comme un véritable guide ?

— Vous pouvez faire ça ? J'avoue que je ne m'y attendais pas.

— Qu'espériez-vous, Diego ?

Soudain, la réponse était importante. Pourquoi avait-il insisté pour l'emmener en excursion ?

— Je ne sais pas. C'est une idée qui m'est venue comme ça. Une fois lancée, il fallait bien la mettre à exécution. C'était ça, ou se lancer dans une explication interminable avec Merry.

Il lui adressa un clin d'œil moqueur.

— De deux maux, la promenade avec vous m'a semblé moins périlleuse.

— C'est vous qui le dites. Allez, venez ! Il y a des crocodiles dans le coin.

Diego s'arrêta et écarquilla les yeux dans une mimique de terreur feinte.

— Vous voulez dire que Paris Hammond se trouve dans les parages ?

Cathie éclata de rire.

— Vous n'êtes vraiment pas gentil.

Il rit avec elle, ses yeux noirs scintillant d'humour, et son rire rauque et profond enveloppa Cathie comme une caresse. Elle s'efforça d'ignorer cette sensation et s'exhorta à davantage de professionnalisme. C'était un client, et on la payait pour l'accompagner. Mais il était si charmant et si drôle qu'elle avait du mal à se convaincre qu'elle ne faisait que son travail.

Mais, après tout, il n'était pas interdit à une employée d'aimer ce qu'elle faisait.

— En réalité, il n'y a pas de crocodiles avoua-t-elle. Seulement des lézards et des tortues. Si nous avons de la chance, nous pourrons peut-être voir un daim. Et si vous aimez les oiseaux, cet endroit est un véritable paradis.

Ils poursuivirent leur excursion le long de l'étroit sentier, puis, lorsqu'ils furent arrivés à une fourche, Cathie précisa :

— Par là, on peut rejoindre l'Oasis.

— La piscine en plein air ?

Il mit sa main en visière pour regarder dans la direction que Cathie lui indiquait.

— Je ne vois rien. Vous y travaillez ce soir, je crois.

Elle hocha la tête et décrocha la gourde fixée à sa ceinture pour boire une gorgée d'eau.

— C'est particulièrement agréable le soir. Vous devriez venir y faire un tour.

Ces mots à peine prononcés, elle s'en voulut d'avoir parlé sans réfléchir. Elle ne voulait surtout pas lui donner l'impression qu'elle lui fixait un rendez-vous.

— Enfin, je veux dire, vous devriez essayer à l'occasion. Pas forcément ce soir.

— Pourquoi pas ce soir ?

Son regard la troubla, et son pouls s'accéléra d'une façon qui n'avait rien à voir avec l'effort physique provoqué par leur randonnée. Elle prit soudain conscience qu'elle était seule dans un endroit désert, avec un homme extraordinairement séduisant.

— Il n'y a pas de raison particulière.

— Alors pourquoi l'avoir dit ?

— Vous essayez de me troubler intentionnellement ?

Il leva un sourcil, et ses lèvres dessinèrent une moue ironique.

— Pourquoi ? Vous êtes troublée ?

— Vous voyez ? Vous recommencez.

Elle reprit sa route et pressa le pas.

— Cathie, attendez ! Je vous ai blessée ?

— Bien sûr que non !

Il la rattrapa en quelques enjambées nerveuses.

— Vous êtes une drôle de femme.

Repoussant une mèche de cheveux qui voletait sur son visage, elle lui glissa en regard en coin.

— Je devrais m'en offusquer ?

— Au contraire.

Il lui prit la main pour l'obliger à s'arrêter et à lui faire face.

Cathie avala sa salive avec peine, tout en s'en voulant de ne pas trouver la force de s'éloigner.

— Eh bien, merci. Enfin, je suppose.

Une tension presque palpable envahit l'atmosphère. Le regard de Diego était chargé d'une force magnétique qui clouait Cathie sur place. Elle se demandait s'il allait l'embrasser, et se surprenait à le désirer de toutes ses forces.

Hypnotisée, elle attendit qu'il se rapproche encore…

— La plupart des femmes…

Il lâcha brusquement sa main et s'écarta.

— C'est sans importance.

Incapable de décider si elle devait en éprouver du dépit ou du soulagement, Cathie chercha un moyen de créer une diversion.

— On fait la course jusqu'au kiosque ?

— Ah bon ? Il y a un kiosque ?

Sans attendre la réponse, elle s'élança, impatiente de briser le courant magique qui les enveloppait. Derrière elle résonnaient les pas lourds de Diego. Un coup d'œil par-dessus son épaule lui apprit qu'elle n'avait aucune chance de gagner.

Elle arrivait en vue du kiosque, installé à l'ombre de luxuriants palmiers, quand Diego la dépassa. Cathie poussa un cri de protestation quand il s'affala sur le banc, prétendant être là depuis des heures.

— Vous en avez mis du temps, fit-il remarquer quand elle se laissa tomber près de lui, à bout de souffle.

— Vous avez triché.

— Moi ? Mais c'est vous qui avez pris une longueur d'avance.

— Vous êtes en forme, et moi pas.

D'un lent regard appréciateur, il la contempla de la tête aux pieds.

— Vous m'avez pourtant l'air très en forme.

— Ne faites pas le malin, Vargas.

Il leva les mains en signe de défense.

— C'était un point de vue strictement médical.

Ils rirent tous deux de sa remarque et s'appuyèrent contre le dossier du banc le temps de reprendre leur respiration.

— Je peux vous poser une question ? demanda Diego au bout d'un moment.

— Dites toujours.

— Quel est exactement le problème avec Maria ?

Grâce au ciel, ce n'était pas une question vraiment personnelle.

— Le Dr Attenburg dit qu'elle souffre d'un dysfonctionnement du système immunitaire qui affaiblit son énergie vitale.

— Je crains de ne pas comprendre.

— C'était aussi le cas de tous les médecins que nous avons consultés. Ils affirmaient que ses symptômes étaient psychosomatiques, à cause de la mort de José. Il était son seul enfant, elle l'avait eu assez tard et l'aimait plus que tout. De sorte que tout le monde a pensé qu'elle ne parvenait pas à surmonter son deuil.

— Tout a donc commencé à la mort de votre mari ?

— Environ trois mois après. Mais je connais bien Maria. Je sais que ce n'est pas dans sa tête. Elle est vraiment malade, et le Dr Attenburg est le seul qui nous ait donné un peu d'espoir.

— Vous avec donc confiance en son diagnostic ?

— Une confiance absolue. Je l'ai découvert sur Internet, et j'ai appris qu'il aidait beaucoup de gens comme Maria qui manifestaient des symptômes étranges auxquels les autres médecins ne comprenaient rien. Même s'il est cher, son traitement fonctionne.

— Tant mieux, si vous voyez une amélioration. Mais en quoi consiste son traitement, exactement ?

Cathie secoua la tête.

— Je n'en sais rien. Je ne suis pas médecin.

— Comment pouvez-vous être sûre qu'il fait ce qu'il faut pour Maria ?

Cathie prit la mouche.

— C'est un homme merveilleux. Il traite Maria avec égard. Sa clinique est ultramoderne et le personnel très dévoué.

Diego parut réfléchir à quelque chose et, devinant le doute qu'il ne formulait pas, Cathie se fit persuasive.

— Il nous a donné de l'espoir alors que tout le monde nous laissait tomber. Il a même accepté de me faire crédit. Ça prouve bien combien il s'implique auprès de ses patients.

Diego plissa le front.

— Votre mutuelle ne prend pas le traitement en charge ?

— Il faudrait déjà que j'en aie une. De toute façon, il s'agit d'un traitement expérimental qui n'est pas encore remboursé.

— Je vois.

Mais Cathie se rendait bien compte qu'il était sceptique, et cette attitude l'ennuyait. Diego n'avait pas conscience des mois de recherches entrepris pour trouver quelqu'un qui les écoute enfin, ni de la douleur de voir souffrir un être cher.

Décidant soudain que son opinion n'avait aucune importance, elle se leva d'un bond.

— On rentre ?

Diego cilla de surprise.

— Déjà ?

— On m'attend à l'Oasis.

— Quand ?

— Bientôt. Et je dois passer voir Maria d'abord.

Cathie s'élança à grands pas sur le chemin. Elle avait hâte de rentrer, de reprendre ses distances avec Diego. Non seulement il la troublait et la dérangeait dans son travail, mais il ajoutait à son inquiétude au sujet de sa belle-mère.

Plongée dans ses pensées, ruminant le doute qu'il avait semé dans son esprit, elle ne regardait pas où elle posait les pieds. Soudain, elle trébucha sur une racine et sentit sa cheville craquer tandis qu'elle s'étalait de tout son long dans la terre rendue boueuse par les pluies récentes.

Aussitôt, Diego s'agenouilla près d'elle.

— Ça va ?

Les mains autour de sa cheville douloureuse, elle grimaça.

— Très bien.

— Laissez-moi regarder.

Sans lui laisser le temps de protester, il repoussa ses mains et palpa sa cheville avec douceur et concentration.

— Vous avez une belle entorse, déclara-t-il.

— Ce n'est rien du tout. Aidez-moi à me relever, ça va aller.

— Cathie, vous êtes un bon petit soldat, mais il n'est pas question que je vous laisse redescendre à pied.

Serrant les dents, Cathie se releva seule. Elle ne pouvait pas être blessée. Il fallait qu'elle travaille. Les incidents de cette sorte n'étaient pas inscrits dans son planning.

Elle fit deux pas, avant d'être soulevée dans les airs.

— Reposez-moi, dit-elle en se débattant dans les bras de Diego. L'hôtel est à plus d'un kilomètre. Vous ne pouvez pas me porter aussi longtemps.

— En temps de guerre, j'ai porté des blessés sur de plus longues distances.

A son expression butée, elle vit qu'il ne servirait à rien d'insister.

Elle se força à sourire et à paraître détendue, mais les bras de Diego l'enserraient fermement. Elle avait la tête à la hauteur de son torse puissant d'où s'exhalait une odeur délicieusement troublante. Le contact rugueux de son menton contre son front faisait naître au creux de son estomac un pincement délicieux et surprenant, et la tentation était forte de se blottir contre lui, de céder au bien-être que semblait lui promettre cette présence masculine.

— Alors portez-moi au moins sur votre dos, se força-t-elle à dire.

Ecartant la tête, il lui adressa un étrange sourire qui le rendit plus séduisant encore.

— Ne comptez pas là-dessus.

6.

Toutes les têtes se tournèrent quand Diego entra dans l'hôtel en portant Cathie dans ses bras. Et comme si l'embarras de la jeune femme n'était pas encore suffisant, il eut le culot de pénétrer sans être annoncé dans le bureau de sa directrice pour lui apprendre qu'elle ne travaillerait pas ce soir.

— Bien sûr que si, je travaillerai ! protesta-t-elle en se débattant.

— Non.

Et Diego mit fin à la discussion en quittant la pièce, tenant toujours Cathie dans ses bras.

Tournant la tête, Cathie implora Merry, qui les contemplait bouche bée.

— Ne faites pas attention à lui. Je serai à mon poste comme prévu.

Pour toute réponse, avant que la porte ne se referme, Cathie crut entendre Merry murmurer quelque chose au sujet d'un plan qui se déroulait à merveille.

— Diego, c'est ridicule, protesta-t-elle. Vous vous donnez en spectacle.

Il lui adressa un clin d'œil machiavélique.

— Et ça devrait m'inquiéter ?

Un couple qui se trouvait dans l'ascenseur au moment où ils y entrèrent échangea un regard entendu.

— Vous pouvez appuyer sur le troisième ? demanda Diego. J'ai les mains occupées.

La femme eut un petit rire tandis que Cathie sifflait à l'oreille de Diego :

— Posez-moi immédiatement.

Mais il n'obéit qu'une fois dans la suite de Cathie. Là, il la déposa gentiment sur le canapé et s'en fut chercher de la glace dans le réfrigérateur.

Dès qu'il fut hors de portée, Cathie se leva et, s'agrippant aux meubles, sautilla vers la chambre.

Diego surprit son mouvement et lui adressa un regard sévère.

— Asseyez-vous !

— Mais il faut que j'aille voir si Maria dort paisiblement.

— Je m'en occupe.

Sans se laisser distraire, Cathie poursuivit son chemin et passa la tête dans l'embrasure de la chambre. La pièce était plongée dans la pénombre et Maria était couchée, les paupières closes.

Sans bruit, Cathie ferma la porte et revint vers le canapé.

— Elle dort.

— Tant mieux. Elle a besoin de repos.

Tenant à la main un sachet en plastique rempli de glaçons, il fit signe à Cathie de s'asseoir.

— Maintenant, laissez-moi regarder cette cheville d'un peu plus près.

Cathie s'exécuta docilement, et posa son pied sur un coussin pour qu'il l'examine. Mais elle ne put s'empêcher de déclarer :

— Que ça vous plaise ou non, j'ai bien l'intention de travailler ce soir.

Diego manipula sa cheville avec douceur et précision, lui arrachant une grimace de douleur.

— Vous feriez mieux de vous reposer.

— Je ne peux pas.

Il se redressa avec un soupir.

— Pourquoi ?

— Parce que c'est impossible.

Il hésita un moment.

— Cathie, si c'est une question d'argent…

Elle se raidit et dégagea son pied.

— Je ne crois pas que cela vous concerne.

— Non, bien sûr. Mais je vous dois bien un pourboire pour cette excursion.

Déjà, il portait la main à la poche arrière de son jean pour en extraire son portefeuille, et l'humiliation fut pire pour Cathie qu'une gifle au visage.

— Ne me proposez surtout pas d'argent !

Elle avait adoré cette balade en sa compagnie, elle s'était presque convaincue qu'il s'agissait d'un rendez-vous en amoureux, et voilà qu'il lui rappelait qu'elle n'était qu'une simple employée.

Les yeux rivés sur son visage, il rempocha son portefeuille aussi vite qu'il l'avait sorti.

— Je vous ai insultée, excusez-moi.

— N'en parlons plus. Et maintenant, excusez-moi, il faut que j'aille me changer.

Il se leva, une expression résignée sur le visage.

— Comment ferez-vous pour marcher jusqu'à l'Oasis ?

— Je me débrouillerai.

— L'hôtel ne met-il pas des voiturettes de golf à la disposition du personnel ?

— Bien sûr, mais je n'en ai jamais vu l'utilité.

Parvenu à la porte, Diego se retourna et pointa un doigt vers elle.

— A partir de ce soir, vous avez ordre de les utiliser. Préparez-vous, je reviens.

Sans lui laisser le temps de protester, Diego disparut dans le couloir.

Soudain terrassée par la fatigue, Cathie laissa aller sa tête contre le dossier du canapé et ferma les yeux, en luttant contre une inexplicable envie de pleurer.

Les deux bras posés sur le rebord de la piscine, Diego fit une pause et se laissa bercer par le tiède clapotis de l'eau. Cathie n'avait pas exagéré la beauté des lieux. Il en émanait une impression magique, envoûtante de beauté sauvage. Canalisée entre d'immenses blocs de roche, l'eau d'un bleu-vert irréel formait une série de réservoirs qui paraissaient naturels. A une extrémité, une cascade, qui semblait prévue pour offrir une cachette romantique aux amoureux en mal d'intimité, se déversait dans un jaillissement d'écume que le clair de lune parait de reflets métalliques.

L'air nocturne charriait le lourd parfum des plantes tropicales, et le ciel piqueté d'étoiles semblait se faire complice d'une atmosphère chargée de sensualité.

Partout où il regardait, Diego ne voyait que des couples en train de rire, de murmurer, ou de s'embrasser.

Assise non loin de là, Cathie laissait son pied blessé se balancer doucement dans l'eau. Il avait essayé de la dissuader de travailler ce soir, mais elle avait eu le dernier mot en remarquant que nager n'exerçait que peu ou pas de pression sur le pied. Cependant, il était inquiet pour elle. Bien qu'elle ait refusé sa proposition financière, une proposition qu'il regrettait d'ailleurs, il était évident qu'elle avait besoin d'argent. Hier, il se demandait si elle s'intéressait à sa fortune, et il savait désormais que ce n'était pas le cas. Il craignait même que cette situation crée une distance supplémentaire entre eux.

Peu à peu, les couples commencèrent à quitter la piscine, et Diego se rapprocha de Cathie.

— La nuit est plutôt calme, commenta-t-il. Il ne se passe pas grand-chose.

Cathie lui adressa un regard indulgent.

— Vous espériez que quelqu'un se noie pour que je puisse jouer les maîtres nageurs et vous les médecins ?

— Hmm… jouer au docteur, dit-il d'un ton coquin, voilà une idée intéressante.

Elle lui asséna une petite tape sur le bras.

— Vous êtes impossible !

Il rit.

— La piscine est supposée fermer ?

— A 23 heures.

Elle fit rouler sa tête pour libérer la tension de ses muscles, et Diego dut se raisonner pour ne pas lui masser les épaules.

— Mais il est presque minuit !

— Je voulais que les gens profitent le plus longtemps possible de la soirée. Ah, je crois que le dernier couple s'apprête à partir.

Elle désigna un recoin sombre, où un homme et une femme s'embrassaient passionnément, tandis que leurs corps enlacés ruisselaient d'eau.

A leur vue, une immense sensation de solitude s'empara de Diego. Cette réaction était d'autant plus ridicule qu'il pouvait regagner l'hôtel et trouver le plus chaleureux des accueils dans la suite de Sharmaine. Mais cette idée, pour une raison qu'il ne s'expliquait pas, était pire que la perspective de passer la nuit seul.

Il ne s'agissait pas d'un simple désir physique, bien que cela puisse sans doute résoudre en partie son problème. Il y avait autre chose, un besoin de complicité, de don de soi. L'envie d'offrir son âme, sa vie, et de recevoir la même chose en retour. Et cela, ce n'était pas une aventure d'un soir qui le lui apporterait.

Le couple disparut, laissant Diego et Cathie seuls dans la douce fraîcheur de la nuit, unis par un silence chargé d'émotion.

Diego se surprit soudain à envier ces amoureux. Pourquoi refusait-il aussi obstinément l'amour ? A quoi bon collectionner les aventures sans lendemain, en vivant au rythme de ses passions et de ses envies ? Il ressentait soudain un décalage entre ce rôle de séducteur qu'il se sentait obligé de jouer et la réalité de ses émotions qui ne demandaient qu'à faire surface pour peu qu'une femme parvienne à comprendre ses hésitations, ses craintes, son chagrin. Une femme comme…

— Ohé ! Réveillez-vous !

Une rafale d'eau le frappa brusquement au visage.

Le rire de Cathie le sortit de ses pensées. Il secoua la tête, surpris. Comment pouvait-elle avoir encore assez d'énergie pour provoquer une bataille d'eau ?

Sans se faire prier davantage, Diego plongea dans la piscine, agita vigoureusement les bras et créa un remous dans sa direction. En riant, Cathie esquiva la vague, puis, à grands coups de pied dans l'eau, l'arrosa tant et plus.

Piqué au vif, Diego essaya de l'attraper, mais elle réussit à plonger et à disparaître sous l'eau. S'attendant à être tiré par les pieds, il se prépara à riposter. Mais il ne repéra ni bulles d'air, ni mouvements d'eau pour l'aider à deviner où elle se trouvait. Aussi souple et silencieuse qu'un requin, elle rôdait quelque part autour de lui.

Soudain, elle bondit sur son dos et, appuyant de toutes ses forces sur sa tête, elle essaya de le faire couler.

Il bougea à peine.

— Hé, mauvais joueur, vous êtes supposé couler.

Son rire frais et juvénile éclata à l'oreille de Diego.

— Vous voulez dire, comme ça ?

Dérobant une épaule, il se pencha en avant et la fit basculer la tête la première dans l'eau.

Elle refit surface en crachotant, les yeux brillants de malice dans l'éclairage tamisé de la piscine.

— Vous allez me le payer !

Elle se rua vers lui en brassant des trombes d'eau. Un goût de chlore flotta sur les lèvres de Diego et sa vision fut brouillée. A l'aveuglette, il saisit un bras et tira vers lui. Cathie fut propulsée contre son torse et, profitant de l'effet de surprise, il noua les bras autour d'elle pour la bloquer.

Elle gigota pour se libérer, tout en protestant avec force.

— Lâchez-moi, espèce de tricheur.

— Et pourquoi ça ?

Le contact de sa peau douce, tiède et mouillée faisait naître en lui un désir vibrant, et il songea que, tout compte fait, il n'avait rien contre une aventure d'un soir.

— Parce que, si vous ne le faites pas, je vais vous mordre.

Il lui adressa un regard brûlant.

— C'est une promesse ?

Il l'attira plus étroitement contre lui, ravi de voir s'écarquiller ses yeux verts et battre follement la veine à la base de son cou. Il lui prit alors le visage dans les mains et suivit doucement du pouce le contour de ses lèvres entrouvertes.

Avec un brusque mouvement qui le surprit, Cathie planta les dents dans son doigt.

Il eut un mouvement de recul, et elle en profita pour s'échapper.

— Hé, vous m'avez mordu !

— Je vous avais prévenu.

Dans un grand éclat de rire, elle s'éloigna à la nage.

— Vous l'aurez voulu !

Il se lança à ses trousses, fendant l'étendue bleutée sans effort, d'un crawl fluide et rapide. Tous ses muscles sollicités, il s'abandonna au plaisir de la course. Cathie était décidément d'une compagnie amusante et pleine de surprises.

Et il était bien décidé à obtenir son baiser.

Plusieurs fois, il crut l'attraper, mais elle esquiva en souplesse ses attaques. Quand il vit qu'elle se dirigeait vers la cascade, dans l'espoir sans doute de s'y cacher, il plongea, franchit la faible distance qui les séparait en quelques mouvements puissants, et refit surface juste à côté d'elle, de l'autre côté de la chute d'eau.

Surprise, elle poussa un petit cri, mais n'opposa aucune résistance quand il l'attira dans ses bras.

— Cette fois, dit-il, c'est vous qui allez me le payer.

Comme attiré par un aimant, son regard s'arrêta sur la rondeur pleine de sa poitrine que la matière trempée de son maillot soulignait avec impudeur, et qu'il voyait se gonfler et se creuser selon un rythme de plus en plus rapide, comme un écho aux battements de son propre cœur.

Une myriade de gouttelettes étincelantes, échappées des cheveux ruisselants d'eau de Cathie, coulaient sur son visage, et Diego brûlait d'envie de les effacer du bout de la langue. Quand une perle d'eau glissa sur sa bouche, il ne résista plus.

Ses lèvres se posèrent sur celles de Cathie, chaudes et conquérantes. Elle tressaillit à ce contact, puis s'abandonna à son baiser.

Etonné par les sensations qu'elle provoquait en lui, Diego ne put s'empêcher de fermer les yeux. Il avait embrassé quantité de femmes dans sa vie, mais il s'agissait là d'autre chose.

Il y avait entre eux un lien étrange, une fusion. Il s'était trompé en se figurant qu'il suffirait de l'embrasser une fois pour ne plus y penser ensuite. Ce baiser était en train de provoquer en lui une métamorphose irrésistible.

Et Cathie devait le sentir également, car elle répondait à son baiser avec la même ardeur, la même exigence. Un petit gémissement jaillit de sa gorge. Elle noua une main autour de son cou, tandis que l'autre caressait son torse d'un mouvement sensuel. Ses doigts rencontrèrent la petite croix d'argent suspendue à un lien de cuir que Diego portait autour du cou et se refermèrent dessus.

A cet instant, elle lui rappela Léa, et il mit fin à leur baiser.

Sous l'effet de la surprise, et peut-être de la déception, les yeux de Cathie s'arrondirent, et il eut envie de la reprendre dans ses bras. Mais, déjà, elle s'écartait.

Il remarqua qu'elle frissonnait.

— Vous avez froid ?

— C'est la cascade.

Ils savaient tous deux que c'était une mauvaise excuse. Car, tout comme la piscine, la cascade était chauffée.

Les bras serrés autour d'elle, Cathie paraissait soudain préoccupée.

— Ce n'était pas une bonne idée, murmura-t-elle.

— Pourquoi pas ? Nous sommes tous deux adultes.

— Ce serait trop long à expliquer. Disons que je ne peux pas.

Un nerf joua dans la mâchoire de Diego.

— Vous ne pouvez pas, ou vous ne voulez pas ?

Elle releva brusquement la tête.

— Ce n'est pas ça.

— Mais alors, où est le problème ?

— C'est la première fois depuis…

Les mots moururent sur ses lèvres, et il crut deviner la raison de son hésitation. Se pouvait-il qu'elle aime encore son mari ?

— C'est à cause de José ?

Elle le dévisagea d'un regard absent, puis s'enfouit le visage dans les mains et se détourna. Un vague sentiment de jalousie pinça le cœur de Diego. Cette fois, il avait sa réponse. Cathie ne s'était pas résignée à oublier son mari.

Elle se dirigea vers les marches de pierre à l'autre bout de la piscine et remonta sur la berge.

L'eau ruisselait sur son corps et s'égouttait de sa queue-de-cheval sur son dos nu, éveillant l'imagination de Diego.

Réalisant soudain qu'il aurait mieux fait de ne pas l'embrasser, et surtout de ne pas réveiller le souvenir de son mari, Diego sortit à son tour de l'eau et la rejoignit.

Cathie était assise sur une chaise longue en teck, les épaules entourées d'une serviette. Dans l'espoir d'alléger l'atmosphère, il se secoua comme un jeune chien. Elle leva la tête vers lui, lui asséna une petite tape sur le genou, mais son regard ne souriait pas.

A cause de ce baiser, il avait irrémédiablement changé leur relation. Elle n'avait pourtant cessé de lui répéter qu'elle n'était pas disponible. Mais il n'avait pas voulu la croire.

— Ecoutez, je suis désolé d'avoir parlé de votre mari, commença-t-il d'un ton embarrassé.

— Ça ne me dérange pas.

— Si j'en crois la photo que j'ai vue chez vous, il avait l'air gentil.

— Il ressemblait beaucoup à Maria, par certains côtés. Mais il était plus sérieux. Il se faisait du souci pour tout, et particulièrement pour moi. Nous nous sommes rencontrés quand j'étais au lycée. Il pensait qu'il n'était pas assez bien pour moi car il était apprenti mécanicien.

Elle eut un sourire attendri.

— A sa façon, il était bourré de complexes. Il ne croyait pas que notre histoire pourrait marcher. Mais nous avons réussi. Pendant trois ans, nous avons été follement heureux. Puis il y a eu cet accident de voiture…

Elle déglutit avec peine et son regard se perdit au loin. Le souvenir de son mari était toujours douloureux, et Diego regretta de l'avoir poussée à se confier.

— Quand on perd quelqu'un à qui l'on tient autant…

Il s'interrompit. Il n'y avait pas de mots pour exprimer un tel chagrin.

— Lui et Maria m'ont donné tout ce qui me manquait tellement. Une famille. Un foyer. Le bonheur.

— C'est pour cette raison que vous êtes si proche de Maria ?

— Oui. Et rien ne pourra jamais changer cela. J'ai promis de prendre soin d'elle, et je le ferai toujours.

— Et votre famille à vous ?

Elle haussa les épaules.

— Nous ne sommes pas proches. Je le voudrais, mais mes parents ont divorcé quand j'étais adolescente. Mon père, qui est militaire, a été affecté en Allemagne et il a rencontré une femme là-bas. Ma mère s'est remariée aussi, à un autre capitaine d'armée, et elle voyage beaucoup. Même quand nous étions ensemble, nous n'avions pas de véritable foyer. Nous déménagions sans cesse, au gré des affectations de mon père.

Elle repoussa une mèche de cheveux et soupira.

— Mes parents n'ont jamais compris pourquoi je détestais tous ces voyages. J'avais besoin de racines. José et Maria me les ont données.

Lorsqu'elle tourna les yeux vers lui, il ne résista pas au besoin de lui passer un bras autour des épaules. Cathie accepta le geste pour ce qu'il était : une manifestation de réconfort de la part d'un ami.

— Elle me fait penser à ma grand-mère, dit-il. Respectueuse des traditions hispaniques et très pieuse.

— Douce, aimante et sage, compléta Cathie.

— Exactement.

— Maintenant, je comprends mieux pourquoi vous aimez autant la compagnie de Maria, dit Cathie avec un petit sourire.

— Je suis sûr qu'elle s'entendrait à merveille avec ma grand-mère.

La jeune femme se tourna et toucha la croix d'argent qui pendait au cou de Diego.

— C'est elle qui vous l'a donnée ?

Le visage de Diego se ferma soudain. Otant son bras des épaules de Cathie, il se leva et se pencha pour attraper son T-shirt. Parler de sa grand-mère était facile. Mais pour ce qui était de la croix, c'était une tout autre histoire.

Dans le silence qui suivit, Cathie perçut le rythme heurté de la respiration de Diego. Les dents serrées, le regard fixe, il luttait pour garder le contrôle de lui-même, et ses mains étaient serrées si fort l'une contre l'autre qu'elle voyait ses veines qui saillaient aux poignets.

Emue, elle posa la main sur son avant-bras.

— Ma question vous a blessé. Je suis désolée.

Il tourna la tête vers elle. Dans ses prunelles sombres vibrait une détresse qui déchira le cœur de Cathie.

— C'est une amie qui me l'a donnée.

Cathie se rapprocha de lui. Elle connaissait trop bien le sentiment qu'elle lisait dans les yeux de Diego : une souffrance cruelle, lancinante, l'impression d'être seul au monde.

— Je suppose que cette croix signifie beaucoup pour vous, et que vous ne vous en séparez jamais.

— Seulement si j'y suis obligé.

— Vous l'aimiez, remarqua Cathie.

Comme elle disait ces mots, une curieuse douleur coupa le souffle de Diego.

— Elle était…

Il contempla la surface étincelante de la piscine, comme s'il y cherchait ses mots.

— Léa était unique.

Cathie brûlait de lui demander s'ils avaient été amants. Elle avait mille questions à poser au sujet de Léa. Mais elle garda le silence et glissa sa main dans celle de Diego.

— Et si nous rentrions ? Nous pourrions terminer cette conversation à l'hôtel.

Aussitôt, il se releva et l'attira vers lui. Puis, à sa grande surprise, il lui déposa un baiser sur le nez.

— Ça me paraît une bonne idée. Vous devez être fatiguée.

Un silence tendu plana dans la voiturette de golf pendant le trajet, et Cathie finit par presser la main de Diego dans un geste de compréhension et de réconfort. S'il voulait parler, elle était prête à l'écouter.

Lorsque les mots s'échappèrent enfin de ses lèvres, ils jaillirent sans retenue, comme une bombe à retardement qui explose. Son regard et l'expression de son visage trahissaient une peine secrète qui lui donnait un air vulnérable et, comprenant qu'il se confiait ainsi pour la première fois, Cathie n'en éprouva que plus de compassion pour lui.

— Léa était infirmière humanitaire en Colombie. Je l'ai rencontrée dans un hôpital de fortune, au cœur d'un village sinistré où elle essayait héroïquement de combattre les ravages de la misère et de la maladie. Le climat était hostile. La guérilla et les barons de la drogue étaient une menace constante. Ils haïssaient les interventions extérieures. On conseillait aux médecins civils de se tenir à l'écart.

— Et vous vous êtes alors engagé dans l'armée ?

C'était quelque chose qui lui ressemblait.

Il haussa les épaules.

— Oui.

— Et Léa ?

— Elle travaillait depuis longtemps pour une organisation locale. Et bien qu'on ait tout fait pour lui mettre des bâtons dans les roues, elle a toujours refusé de partir.

Tout en parlant, il jouait machinalement avec la croix.

— Que s'est-il passé ?

— L'atmosphère politique était particulièrement tendue et, quand je suis parti, je l'ai suppliée de me suivre. Mais Léa aimait ces gens plus que sa propre vie.

— Elle avait l'air d'une femme formidable.

— Elle était trop bien pour mourir.

Le chagrin qu'exprima alors le regard de Diego fit se serrer le cœur de Cathie.

— Ce sont les guérilleros qui… ?

Elle ne put se résoudre à terminer sa phrase.

— Non.

Il leva le cordon de cuir qui retenait la croix, laissant le bijou d'argent danser entre ses doigts.

— C'était à elle. Elle ne la quittait jamais.

Quand j'ai quitté la Colombie, elle me l'a donnée.

Il déglutit avec peine.

— Deux mois plus tard, elle mourait en essayant d'aider des villageois prisonniers d'un glissement de terrain.

Cathie comprenait sa peine. Elle savait ce qu'était la douleur de perdre un être cher.

Soudain, elle arrêta la voiturette et se tourna pour le regarder. Puis, une main posée sur son bras, elle lui dit :

— Léa est morte comme elle a vécu, Diego, en se consacrant aux autres. Si son heure était venue, elle est partie en faisant ce à quoi elle croyait le plus.

— Je sais. Et je lui en ai longtemps voulu à cause de ça.

— Je comprends, dit-elle d'une voix très douce.

— Je crois que oui.

Tout en compatissant sincèrement à sa douleur, Cathie eut l'impression qu'un immense poids s'abattait sur elle. Tout espoir de bonheur avec Diego était anéanti à jamais. Tomber amoureuse d'un homme qui aimait toujours une femme morte depuis plusieurs années était de la folie. On ne pouvait pas lutter contre les morts.

Cette pensée la stupéfia. Tomber amoureuse de Diego n'était pas à l'ordre du jour. Ni l'un ni l'autre ne le voulaient. Et, même si c'était le cas, la vie et les circonstances ne le permettaient pas.

7.

En proie à une étrange nervosité, Diego frappa à la porte de la chambre de Cathie. Compte tenu de l'heure tardive, il aurait dû se sentir fatigué, mais il éprouvait au contraire un regain d'énergie à l'idée de retrouver la jeune femme. Leur discussion sur le chemin du retour lui avait fait du bien. Il s'était confié à peu de gens au sujet de Léa, et l'écoute sensible de Cathie, ainsi que sa faculté de compréhension, avaient soulagé sa peine.

En arrivant à l'hôtel, ils s'étaient plaints tous deux d'avoir faim. Pour sa part, ce n'était qu'une ruse pour passer plus de temps avec Cathie. Après être tombés d'accord pour grignoter un morceau dans la suite de cette dernière, ils s'étaient séparés le temps de se changer.

Et en cet instant, alors qu'il entrait dans la chambre silencieuse et plongée dans la pénombre,

Diego sentit flotter dans l'air une exaltation mêlée d'appréhension. Cathie portait un chemisier sans manches, décolleté en V, et un short court qui révélait ses jambes interminables. Et, comme si cela ne suffisait pas à le troubler, elle était pieds nus. Ses cheveux blonds encore humides étaient relevés en chignon de façon à mettre en valeur l'ovale de son visage, dont la perfection pouvait se passer de maquillage.

— Nous ne risquons pas de déranger Maria ? demanda-t-il à voix basse, tout en jetant un regard vers la chambre de la vieille dame.

— J'ai fermé la porte. Elle dort profondément, maintenant. Et elle est habituée à mes allées et venues.

Cette remarque rappela à Diego les longues heures de travail de Cathie. Il aurait dû la laisser se reposer. Mais ses vacances à La Luna touchaient à leur fin, et il commençait seulement à se détendre. Egoïstement, il avait décidé de la garder éveillée pour profiter de sa compagnie.

— Qu'allons-nous manger ? demanda-t-il en la suivant jusqu'à la kitchenette.

— Que diriez-vous de toasts au fromage fondu ?

— Formidable. Mais je ne veux pas que vous

forciez sur votre cheville. Allez vous asseoir pendant que je prépare le repas.

— Pas question.

Elle lui tendit un paquet de fromage en tranches sous vide.

— Ouvrez le paquet pendant que je beurre le pain.

Renonçant à protester, il exécuta un salut militaire.

— Oui, chef !

Côte à côte, ils préparèrent leur modeste repas, et cette intimité, dans l'espace étroit de la kitchenette, ne fit que renforcer le trouble de Diego.

— Surveillez la poêle, dit Cathie, tandis que les toasts commençaient à dorer sur le feu. Je vais nous chercher quelque chose à boire.

— Vous n'avez jamais songé à faire carrière dans l'armée ? Vous avez tout à fait l'étoffe d'un sergent instructeur.

La porte du réfrigérateur s'ouvrit et une bouffée d'air froid se répandit dans la pièce.

— Aucune chance, répondit Cathie, le dos tourné. Comme je vous l'ai dit, je suis fille de militaire. Pour rien au monde je ne voudrais connaître de nouveau cette vie itinérante.

Elle se pencha pour prendre deux canettes de soda, et Diego sentit son pouls s'accélérer en voyant son bermuda se tendre sur ses hanches. La bouche sèche, il déglutit avec peine et fit un effort pour se ressaisir.

— Vous surveillez les toasts ? demanda Cathie, comme si elle avait senti son regard sur elle.

— Non. C'est vous que je regarde.

Elle fit brusquement volte-face, et il ne put s'empêcher de sourire en voyant son regard médusé.

Elle posa les canettes sur le comptoir d'un geste brutal.

— Vous êtes impossible !

— Je suis juste un homme qui n'a pas envie de s'excuser d'admirer une jolie femme.

Sa réponse amena une légère rougeur sur les joues de Cathie.

— Si vous laissez les toasts brûler, je vais vous renvoyer.

— On ne peut pas renvoyer un volontaire.

Mais il se tourna vers la poêle d'où montait une délicieuse odeur de fromage fondu. Si Cathie prétendait ignorer les vibrations qui flottaient dans l'air, grand bien lui fasse. Ses dénégations ne changeraient rien à cet état de fait.

— Les assiettes sont dans le placard derrière vous.

— Vous êtes sûre de vouloir me confier une mission aussi périlleuse ?

— Je vous ai à l'œil, dit-elle avec un petit rire.

Il prit les assiettes, y fit glisser les toasts, et posa le tout sur le bar, à côté des verres de soda qu'elle leur avait versés.

— Un vrai dîner de roi, dit-il en prenant place sur un tabouret.

— Un roi affamé et pas trop regardant, corrigea Cathie en prenant place près de lui.

Coude à coude, ils mordirent dans leurs toasts et les dégustèrent en silence.

— C'est délicieux, affirma Diego. Vous êtes une grande cuisinière.

— Bien sûr ! Les toasts au fromage fondu sont le sommet de l'art culinaire. Ma prochaine étape sera d'apprendre à ouvrir les boîtes de conserve.

Diego éclata de rire. Il aimait son sens de l'humour, tout comme il admirait sa capacité de travail hors du commun et sa dévotion à sa belle-mère. Cathie était une femme tout à fait spéciale, beaucoup plus complexe et pugnace que ne l'aurait laissé supposer son apparence effacée.

— Que ferez-vous quand vous serez grande, Cathie ?

Au moment de porter son verre de soda à ses lèvres, Cathie suspendit son geste.

— Que voulez-vous dire ?

— Vous n'avez pas l'intention de travailler ici tout le reste de votre vie, n'est-ce pas ?

Elle releva le menton, sur la défensive.

— Et qu'y aurait-il de mal à cela ?

Il comprit qu'il avait touché un point sensible.

— Rien du tout. Je ne dénigre pas votre travail, mais vous ne pourrez pas tenir ce rythme éternellement. Votre corps ne suivra pas. C'est tout ce que je voulais dire.

— Tout le monde n'est pas de cet avis. La plupart des clients pensent que je suis là pour réaliser leurs caprices nuit et jour.

Il l'admirait de ne citer personne, mais il savait que Paris Hammond et Sharmaine se montraient odieuses avec elle.

— Ma grand-mère m'a appris que tout travail a un sens pour peu qu'on le fasse bien. La façon dont la société envisage la réussite n'a rien à voir avec l'intégrité personnelle.

— Votre grand-mère ressemble décidément beaucoup à Maria.

Cathie but une gorgée de soda avant de poursuivre.

— Et, pour répondre à votre question, non, je n'ai pas l'intention de passer toute ma vie ici. Mais j'ai eu beaucoup de chance que le propriétaire de l'hôtel où je travaillais avant, Alexander Rochelle, possède également cette résidence de vacances. Lorsque je lui ai expliqué ma situation, il a eu la gentillesse d'organiser mon transfert. J'ai envie de retourner au Texas, mais pour cela il faut que Maria guérisse.

Diego se tortilla sur son tabouret, à la recherche d'une position plus confortable. Il était ravi que Cathie ait amené le sujet, même s'il la savait ombrageuse dès qu'il s'agissait de la santé de sa belle-mère.

— Savez-vous combien de temps ça prendra ? Que dit son médecin ?

— Nous avons déjà eu cette conversation, Diego, répliqua Cathie d'un ton vaguement excédé. Le Dr Attenburg a promis de la guérir, et je le crois de tout mon cœur. Il n'a pas dit quand, mais dès que j'aurai assez d'argent pour intensifier le traitement…

Elle s'interrompit, embarrassée d'avoir évoqué une fois de plus ses difficultés financières.

Diego se sentit touché par ses efforts et son obstination à ne dépendre que d'elle-même. Le simple fait de savoir qu'elle ne voulait pas de son aide suffisait à stimuler son désir de l'épauler. Il ne pouvait pas lui offrir d'argent directement, mais il trouverait bien un moyen. Il était un homme plein de ressources.

Par ailleurs, il était inquiet. D'après ce qu'il avait compris, les traitements du Dr Attenburg ne cessaient d'augmenter en prix et en fréquence. Il savait que les soins médicaux étaient coûteux, surtout lorsque, comme Cathie, on ne bénéficiait d'aucune couverture sociale, mais il y avait dans toute cette histoire quelque chose de bizarre.

L'air boudeur de Cathie lui fit comprendre qu'il valait mieux ne pas insister et, repoussant ces réflexions préoccupantes à plus tard, il changea de sujet.

— Vous avez des miettes sur le visage.

Avant qu'elle ait pu les essuyer, il lui saisit la main.

— Laissez-moi faire.

Du bout des doigts, il caressa ses lèvres qui s'entrouvrirent légèrement. Le souffle tiède de Cathie effleura sa peau. Une onde de chaleur courut tout le long de son bras, rallumant aussitôt l'incendie qui couvait sous la cendre depuis leur baiser.

Elle déglutit, et les yeux de Diego se portèrent à la base de son cou. Dans la courbe qui menait à son épaule, il y avait un petit creux qui attirait le regard, une vallée de peau soyeuse qui ne demandait qu'à recevoir des baisers. Il la tira par la main, en espérant qu'elle viendrait vers lui.

Cathie se laissa glisser du tabouret, le regard rivé au sien. Une tension presque palpable envahit l'atmosphère. Déjà, il s'imaginait l'attirant entre ses jambes et refermant les mains sur la taille fine. Il se figurait sentir son ventre chaud venir se plaquer au sien, il anticipait la caresse de ses lèvres si douces…

Mais la réalité vint subitement le dégriser.

— Vous n'avez pas envie de regarder la télévision ? lui demanda Cathie.

Désappointé, Diego se leva.

— Je ferais mieux de m'en aller. Il est terriblement tard.

Mais il n'avait aucune envie de partir, et il ne pouvait pas lui demander de passer la nuit chez elle alors que Maria dormait à côté. Il considéra brièvement la possibilité de l'inviter chez lui, mais repoussa cette hypothèse. Cathie s'était montrée claire sur ce point : leur relation ne dépasserait jamais le stade de l'amitié. Mais depuis qu'il l'avait embrassée, il lui devenait de plus en plus difficile de lutter contre le désir qu'il éprouvait pour elle.

Cherchant une raison de s'attarder, il prit les assiettes et les porta à l'évier.

— Laissez, protesta Cathie.

Mais il n'y prêta aucune attention.

— Restez assise. Vous devez travailler demain. Moi pas.

Un brusque élan de culpabilité l'envahit soudain. Cathie aurait dû être couchée à cette heure.

Elle fit mine de protester, mais il prit un air sévère et déclara d'un ton autoritaire :

— C'est un ordre.

Elle exécuta un petit salut militaire et se dirigea vers le coin salon, où elle alluma le poste de télévision.

Il ne fallut que quelques minutes à Diego pour

ranger la cuisine, et il se laissa bientôt tomber sur le canapé à côté d'elle.

— Que regardez-vous ?

Cathie appuya sur la télécommande pour changer de programme.

— Je ne sais pas encore.

— Vous ne dormez jamais ?

Détournant les yeux de l'écran, elle croisa son regard.

— J'ai appris à me contenter de quelques heures par-ci, par-là. J'imagine que c'est aussi ce que font les médecins.

— Ce n'est pas moi qui vous dirai le contraire, reconnut-il, en se souvenant qu'il avait connu des gardes de trente-six heures d'affilée.

Cathie se laissa aller contre le dossier du canapé et posa son pied douloureux sur la table basse. Des images d'un couple échangeant un baiser apparurent sur l'écran.

Elle changea de chaîne et tomba sur une comédie romantique. Elle zappa de nouveau pour s'arrêter sur un film érotique. Gênée, elle éclata de rire et mit le poste en veille.

— Décidément, je n'en sors pas, ce soir. On dirait qu'ils se sont tous donné le mot.

— Cette île est terriblement romantique, fit remarquer Diego.

Il posa un bras sur le dossier du canapé, et ses doigts vinrent effleurer l'épaule de Cathie, qui ne broncha pas.

— En parlant de cela, nous avons un mariage prévu pour la fin de la semaine. La cérémonie aura lieu sur la plage, et je ferai partie des serveurs.

— Je crois que Sharmaine m'en a parlé. Il s'agit du mariage de la sœur de Paris Hammond, n'est-ce pas ?

— Oui, et elle est beaucoup plus gentille que Paris. Son fiancé possède un ranch, et il a la plus adorable des petites filles. Ce sera un joli mariage. Simple, mais charmant.

Avec un soupir, elle se détendit, et son épaule frôla celle de Diego, dont l'humeur s'était tout à coup assombrie. Le mariage, l'amour… Il se demanda si les fiancés regretteraient toute leur vie cette décision, ou s'ils avaient réellement trouvé leur âme sœur. Fidèle à sa réputation de cynisme, il en doutait.

Ses doigts jouèrent avec le bout des cheveux de Cathie, soyeux et odorants, et il se posa également des questions à son sujet. Son amour pour José avait été sincère, tout comme son affection pour Maria. C'était une des nombreuses raisons pour lesquelles il l'admirait. Son dévouement exempt de tout égoïsme l'impressionnait grandement.

Et tout à coup, il réalisa qu'elle ressemblait à Léa bien plus qu'il ne l'aurait imaginé. Lorsque Cathie aimait quelqu'un, aucun sacrifice n'était trop grand. Ne l'avait-elle pas prouvé en venant s'installer en Floride avec Maria, alors qu'elle ne rêvait que d'un foyer stable ?

Tout en réfléchissant, il avait machinalement passé son bras autour des épaules de Cathie. Là encore, elle n'avait pas protesté, et il prit cela pour une invitation.

L'attirant plus étroitement contre lui, il sentit le poids de son corps doux et tiède s'abandonner peu à peu, et réalisa qu'elle dormait. Un sentiment complexe de culpabilité et de volonté de protection l'envahit alors. En dépit de ce qu'elle affirmait, Cathie était épuisée. Elle avait joué les hôtesses, écouté ses confidences et répondu à ses plaisanteries. Et durant tout ce temps, elle tombait de sommeil.

Doucement, il lui prit la télécommande des mains. Elle ne bougea pas. Il se leva alors, l'étendit sur le canapé et prit le plaid de flanelle posé dans le fauteuil de Maria pour la couvrir.

Au même moment, une vibration agaçante retentit dans le silence. Le biper de Cathie, abandonné sur la table basse, clignotait. Diego l'attrapa en hâte et l'éteignit.

Cathie remua mais n'ouvrit pas les yeux. Ses cils blonds effleuraient des cercles bistres autour de ses yeux qu'il ne lui avait pas vus auparavant. Un élan de tendresse lui noua la gorge. Elle était tellement adorable ainsi endormie !

Il décida de ne pas la réveiller. La direction de l'hôtel trouverait bien quelqu'un d'autre. Cathie lui reprocherait probablement son initiative si elle était mise au courant, mais il se débrouillerait pour qu'elle n'en sache rien. Il veillerait également à ce que l'argent de cette mission tardive ne lui fasse pas défaut.

Diego ne s'attarda pas à analyser ses raisons. Il les connaissait déjà plus ou moins. Cathie travaillait dur. Il l'aimait bien, et il se sentait désolé pour elle. Il ne fallait pas chercher plus loin.

Après s'être assuré que la jeune femme était confortablement installée, il ne résista pas à l'envie de la toucher une dernière fois. Penché au-dessus d'elle, il lui effleura le front de ses lèvres.

Puis, avec un étrange poids sur la poitrine, il éteignit la lumière et quitta la chambre.

En sortant de son bureau, Merry Montrose rajusta sa broche et se dirigea vers l'accueil de l'hôtel. La femme qui se trouvait à la réception lui parut étrangement familière. Sa tante Lissa, la marraine dont les pouvoirs magiques l'avaient prématurément vieillie, avait l'agaçante manie de surgir n'importe où et à tout moment.

— Bonjour Merry.

Vêtue d'un uniforme et portant un badge au nom de Lili Peterson, tante Lissa jouait son rôle à la perfection.

Merry jeta un coup d'œil autour d'elle. Inquiète à l'idée que quelqu'un puisse les surprendre, elle parla en termes généraux.

— Bonjour Lili. Comment va la famille ?

— Très bien, ma chère. Et toi ?

Les yeux de tante Lissa pétillaient d'humour et d'intérêt.

— J'ai entendu dire qu'un mariage se préparait.

Merry exulta.

— Plus que quatre après Jackie et Steven, et je serai enfin libérée.

Un homme et son fils arrivèrent juste à ce moment-là, et Merry se tint à l'écart. Après avoir vanté les mérites d'une excursion dans la partie sud de l'île, Lissa passa un rapide coup de téléphone pour réserver un guide, puis les deux hommes s'éloignèrent.

Elle se tourna de nouveau vers Merry.

— Tu crois vraiment pouvoir réunir quatre autres couples avant ton anniversaire ?

Merry sentit un vent de panique la submerger. Si elle fêtait son anniversaire sans avoir réussi à marier ces vingt et un couples, elle resterait à jamais prisonnière de ce corps vieillissant.

— Je fais de mon mieux.

Lissa fit bouffer sa courte chevelure blond cendré. A cinquante-deux ans, elle était toujours ravissante, ce qui ne faisait qu'attiser la colère de sa nièce.

— Tu as jeté ton dévolu sur un nouveau couple ?

Merry ouvrait la bouche pour répondre quand Diego Vargas apparut dans l'escalier.

— En fait, voici le nouveau fiancé.

— Mmm. Excellent choix. Et qui est l'heureuse élue ?

Merry ne put s'empêcher de grimacer. La jeune femme en question posait un véritable problème. Elle avait surveillé Diego et Cathie toute la journée, tout en s'assurant que cette dernière ne soit pas interrompue par des corvées inattendues. Mais, d'après ce qu'elle avait pu voir, Cathie ne se montrait pas vraiment coopérative. Quelle petite sotte ! Comment pouvait-on résister à un homme possédant le physique et la fortune de Diego ? Si elle n'avait pas été prisonnière de ce fichu sort, elle ne se serait pas privée de flirter avec lui. Quant à Diego, qui pouvait savoir ce qu'il avait en tête ? Il avait quand même sorti Cathie des griffes de Paris, et il l'avait portée dans ses bras pour revenir à l'hôtel. C'était un bon début.

Evidemment, elle ne partagea pas ses doutes avec Lissa. Sa marraine devait croire que tout se déroulait à la perfection.

— Bonjour, monsieur Vargas, s'écria Merry, comme Diego s'approchait de l'accueil. J'espère que vous avez bien dormi.

Elle savait qu'il s'était couché tard, et le responsable de nuit lui avait appris que Cathie n'avait pas répondu à son appel quand il l'avait bipée. Peut-être étaient-ils trop occupés tous les deux pour être dérangés ?

— Bonjour mesdames, répondit Diego avec un signe de tête courtois.

— En quoi puis-je vous aider, monsieur Vargas ? Peut-être souhaiteriez-vous une croisière romantique pour deux personnes ?

D'accord, elle manquait de subtilité, mais elle n'avait plus beaucoup de temps.

— Une autre fois, peut-être.

Il tira une enveloppe de sa poche.

— J'aimerais laisser une gratification pour Cathie Fernandez, mais je veux que vous la lui remettiez seulement après mon départ. Et ce geste devra rester anonyme.

Intriguée, Merry s'apprêtait à l'interroger quand Lissa s'empara de l'enveloppe.

— Naturellement, monsieur Vargas. Il sera fait selon vos désirs.

Diego remercia les deux femmes de leur aide, insista de nouveau sur le fait que Cathie ne devait rien savoir avant son départ et s'éloigna.

Lissa adressa un regard moqueur à sa filleule.

— Eh bien, ma chère petite, je dirais que cette histoire s'engage plutôt mal.

— Ne te réjouis pas trop vite. Je n'ai pas encore dit mon dernier mot, répliqua Merry, les yeux fixés sur la silhouette de Diego qui s'éloignait.

8.

Cathie s'activait autour du buffet avec autant de célérité que le lui permettait son pied bandé.

Depuis qu'elle travaillait à La Luna, ce n'était pas la première fois qu'elle était de service pour un mariage. Mais aujourd'hui, elle se sentait étrangement anxieuse. Elle s'en expliquait d'autant moins la raison qu'elle s'était toujours émue de la signification d'une telle union entre deux êtres qui s'offraient leurs vies. Peut-être fallait-il en chercher la cause dans sa situation personnelle ? Mais cette excuse ne la satisfaisait pas. Elle était veuve depuis longtemps, maintenant.

Tandis qu'elle disposait un plateau de flûtes en cristal près d'un seau à champagne, elle vit que les convives commençaient à se rassembler sur la plage.

Puis, comme elle se détournait, son pied blessé

dérapa légèrement et elle grimaça. Même avec le bandage, la douleur était suffisante pour lui faire penser à Diego. Une fois de plus.

Depuis ce matin où elle s'était réveillée sur le canapé, quelque peu chagrinée de s'être endormie alors qu'elle avait un invité, Diego avait non seulement occupé ses pensées, mais elle avait bénéficié presque en permanence de sa compagnie. Il se présentait en effet à sa porte tous les matins pour examiner sa cheville, en affirmant qu'il s'agissait d'une question de conscience professionnelle.

Cette attitude la contrariait. Elle ne voulait pas être sa patiente. Elle voulait…

Cathie s'interdit de formuler plus avant sa pensée. Ce qu'elle souhaitait n'avait aucune importance. Elle ne pouvait pas laisser cela se produire.

Et pourtant, chaque fois qu'elle était appelée quelque part, Diego était présent ou arrivait dans les secondes qui suivaient. C'était comme si quelqu'un mettait tout en œuvre pour qu'ils se retrouvent. Et compte tenu de l'évolution de ses sentiments envers lui, la dernière chose qu'elle souhaitait, c'était bien de passer du temps avec Diego.

Balayant ces préoccupations, Cathie rejoignit l'organisatrice de la cérémonie.

— Y a-t-il autre chose que je puisse faire pour vous aider ?

— Non merci, tout est en ordre.

La jeune femme désigna la plage d'un signe de tête.

— On dirait que la cérémonie ne va pas tarder à commencer.

Sur fond de ciel bleu et de mer turquoise, les futurs mariés se tenaient sous une tonnelle décorée de feuillage, de tulle et d'orchidées rouges.

La mariée, Jackie Hammond, portait une courte robe ivoire, une capeline de paille blanche, et tenait un bouquet de roses très pâles. Le marié et son témoin étaient en costume sombre et arboraient un œillet à la boutonnière.

Le décor était superbe, mais toute la magie de la scène tenait dans le regard adorateur qu'échangeait le jeune couple.

— Leur histoire n'est-elle pas follement romantique ? dit l'une des serveuses.

Cathie secoua la tête.

— Je crains de ne pas être au courant.

— Tu es bien la seule. C'est un véritable

conte de fées. Jackie avait fait un don d'ovules à une de ses cousines, le laboratoire a fait une erreur, et c'est la femme de Steven qui les a reçus. A la mort de cette dernière, Steven s'est mis à rechercher la mère biologique de sa fille Suzy.

— Pour l'épouser ?

Cathie n'était pas sûre de vouloir entendre une histoire aussi personnelle, mais sa collègue semblait trop heureuse de lui en révéler tous les détails.

— Non. Bien sûr que non. Il ne la connaissait même pas. Mais il avait appris qu'il y avait eu une erreur au départ, et il ne voulait pas qu'on puisse lui prendre sa fille.

— Comment es-tu au courant de tout ça ?

La jeune serveuse eut un sourire entendu.

— La sœur de Jackie en a parlé l'autre jour.

— Et tu as surpris la conversation par hasard ?

— Tu plaisantes ? J'écoutais aux portes, évidemment. Une histoire comme celle-ci doit être partagée.

Cathie secoua la tête, sans parvenir à dissimuler un sourire.

— C'est une histoire très émouvante, mais je

ne comprends toujours pas. Comment Steven et Jackie se sont-ils rencontrés ? S'agit-il d'un mariage de convenance pour le bien du bébé ?

— Eh bien, figure-toi que non. Jackie voulait connaître son enfant, et elle s'est rendue au ranch de Steven pour faire sa connaissance. C'est alors que Cupidon est passé par là et que les parents de Suzy sont tombés follement amoureux l'un de l'autre.

La jeune serveuse soupira avec emphase.

— N'est-ce pas l'histoire la plus romantique que tu aies jamais entendue ?

— C'est magnifique. Ils ont eu de la chance.

Cathie jeta un regard vers la petite fille brune qui observait sagement ses parents.

— Et cette adorable fillette aussi, conclut-elle.

Puis, pour endiguer un flot de pensées indésirables, elle s'occupa à aligner une fois de plus des serviettes en papier qui n'en avaient nul besoin.

— Tu crois que tout est prêt ?

Sa collègue balaya le buffet du regard.

— Ça a l'air parfait. Rapprochons-nous un peu pour mieux profiter de la cérémonie.

Traversant le sable blanc, Cathie et les autres membres du personnel se tinrent à distance respectable de la cérémonie, mais suffisamment près quand même pour voir et entendre ce qui se disait.

Durant l'échange des vœux, une sensation de vide vertigineuse s'empara de Cathie, tandis qu'elle était le témoin de la joie sans partage du jeune couple sur le point de se donner l'un à l'autre.

Au même instant, toutes ses pensées convergèrent vers Diego. Pendant quelques secondes, elle fut comme aveuglée par son image. Puis une idée terrifiante la submergea, tel un raz-de-marée balayant tout sur son passage. Elle n'avait aucune envie de rentrer au Texas pour y retrouver l'amour et la sécurité. Elle n'en avait pas besoin. Elle avait trouvé ce qu'il lui fallait ici. Grâce à Diego le terrible sentiment d'abandon qui la rongeait avait disparu. Sa seule présence la réconfortait comme jamais.

Elle voulait…

Oh, Seigneur, ce qu'elle voulait était impossible.

Le cœur battant à tout rompre, elle détourna

son attention de la cérémonie et surprit un mouvement du côté de l'hôtel.

Relevant les yeux, elle découvrit Diego sur son balcon. Penché sur la balustrade, il regardait dans sa direction, et il semblait à Cathie qu'elle sentait sur elle le feu brûlant de ses prunelles sombres, même à cette distance.

Plus tard, elle se demanderait probablement si l'atmosphère du mariage n'avait pas enflammé son imagination. Mais pour le moment, debout sur le sable, la peau réchauffée par la brise tiède et parfumée, elle vibrait d'une étrange énergie.

Tout à coup, l'évidence s'imposa avec une clarté désarmante. Elle aimait Diego, même si elle avait tout fait pour ne pas succomber à l'attirance qu'il exerçait sur elle.

Aussitôt, quelque chose se révolta en elle. Ils n'avaient rien de commun. Il était immensément riche, elle se débattait sans cesse avec des problèmes d'argent. Il passait son temps à voyager, et elle était casanière…

Non, décidément, même si la vérité ne pouvait que la faire souffrir, il lui fallait admettre que Diego n'était pas un homme pour elle. Elle devait à tout prix reprendre ses distances, si elle ne voulait pas avoir le cœur brisé par son départ.

Grâce à la force de caractère qui lui avait permis d'enterrer son mari, de quitter le seul endroit qu'elle considérait comme son foyer et d'assumer la charge de Maria, Cathie brisa la magie de cet échange muet en regagnant le buffet. C'était là qu'était la place d'une femme comme elle.

Diego regarda Cathie se détourner sans même lui adresser un signe de la main, comme elle le faisait d'ordinaire. Elle était occupée, mais ce n'était pas une raison. Sa gentillesse naturelle faisait qu'elle prêtait toujours attention à ce qui se passait autour d'elle, et il ne comprenait pas sa réaction. A vrai dire, il se sentait presque vexé. Il n'était pas ravi non plus de la voir trotter seize heures par jour sur son pied blessé. Une entorse n'était peut-être qu'une lésion bénigne, mais le repos était conseillé pour une guérison dans de bonnes conditions. Mais Cathie ne prenait jamais de temps pour elle et, même s'il appréciait sa nature généreuse, cette attitude finissait par l'exaspérer.

Quittant sa chambre en trombe, il gagna la

plage où la réception battait son plein. Il repéra Cathie en train de servir du punch. Peu habitué à jouer les pique-assiette, il se joignit pourtant à la foule et finit par se rapprocher du buffet.

— Diego ?

Elle releva les yeux d'un air surpris.

— Que faites-vous ici ?

Il lui prit le verre vide des mains.

— Je viens aider au service.

— Vous ne pouvez pas faire ça, répliqua-t-elle entre ses dents, tout en essayant de récupérer le verre.

Un sourire narquois aux lèvres, Diego écarta le verre hors de sa portée.

Cathie regarda autour d'elle d'un air affolé. Par chance, les invités étaient agglutinés autour des mariés pour les féliciter, et personne ne s'était encore approché du buffet.

— Vous allez me faire renvoyer.

— Tralala !

Pas plus affolé que cela, Diego lui prit la louche des mains, remplit le verre et posa celui-ci sur la table.

— Franchement, Cathie, vous n'avez pas d'excuse plus originale pour vous débarrasser de moi ?

Quand finirait-elle par comprendre qu'il obtenait toujours ce qu'il voulait ? Et, pour le moment, c'était elle qu'il voulait.

— Ce n'est pas une excuse, protesta-t-elle mollement.

Puis, résignée, elle lui tendit un autre verre pour qu'il le remplisse.

— C'est une réception privée.

— Mais la plage est à tout le monde. En tant que client de l'hôtel, j'ai parfaitement le droit de ramasser des coquillages si j'en ai envie.

Cathie ne put dissimuler un sourire.

— Vous comptez en trouver dans le saladier de punch ?

— Eh bien, disons que je propose bénévolement mes services pour vous permettre de finir plus tôt et de dîner avec moi.

— Je regrette…

Prenant soin d'éviter son regard, Cathie secoua la tête, tout en se mordillant la lèvre inférieure.

L'attention aussitôt détournée par cette mimique charmante, Diego ne se formalisa pas. Elle commençait toujours par dire non.

— Où devez-vous travailler, ce soir ?

Quoi qu'elle fasse, il avait bien l'intention de l'aider pour soulager sa cheville.

Comme elle gardait le silence, il étudia son expression soudain butée. Inquiet, il se rembrunit. Que se passait-il, cette fois ?

— Diego, je préférerais que vous partiez, maintenant. Les mariés ne vont pas tarder à s'approcher pour découper le gâteau.

Elle essayait à l'évidence de se débarrasser de lui, mais Diego n'avait aucune intention de s'en aller.

Penché sur le buffet pour ne pas être entendu des invités qui commençaient à converger vers le buffet, il murmura :

— Qu'est-ce qui ne va pas, Cathie ? Dites-le-moi.

Ses beaux yeux verts s'embuèrent soudain, et Diego eut l'impression qu'elle allait se mettre à pleurer. Elle serra les lèvres avec fermeté, et il dut faire appel à toute sa volonté pour ne pas l'attirer dans ses bras.

— Ne me demandez pas ça. Je vous en prie, Diego, laissez-moi tranquille.

— Je ne vous poserai plus de questions, mais sachez que je n'ai pas l'intention de m'en aller. Il va falloir vous y faire, Cathie. Aussi longtemps que je séjournerai à La Luna, vous devrez supporter ma compagnie.

Il ne savait pas pourquoi il avait dit ça, mais c'était la vérité. Il voulait passer le plus de temps possible avec elle avant de retourner à ses obligations.

Pour alléger l'atmosphère, il lui pinça gentiment le nez.

— Préparez le champagne. Voici les heureux mariés.

Cathie se dépensa sans compter pour satisfaire les invités, et Diego ne la quitta pas d'une semelle. Tous les prétextes étaient bons pour la toucher, la frôler, lui adresser des clins d'œil à la dérobée — un comportement digne d'un adolescent énamouré, qui lui provoquait des poussées d'adrénaline.

Il mit ça sur le compte de cette atmosphère incroyablement romantique générée par le mariage. Alors qu'il se trouvait sur le balcon à observer Cathie, il s'était senti déchiré par un flot d'émotions contradictoires, tandis que son esprit vagabondait. Et si elle était la femme qu'il lui fallait ? Pas une aventure parmi d'autres, mais la femme de sa vie, celle qu'il aimerait toujours…

Le soleil entamait sa chute vers l'horizon lorsque les derniers invités quittèrent la fête. Ses ultimes rayons d'or illuminaient le ciel et le zébraient de longues traînées pourpres au-dessus de l'immensité de l'océan étincelant de mille reflets.

— Vous n'êtes pas obligé de faire ça, protesta Cathie en voyant Diego commencer à replier les chaises disposées sur la plage.

— Vous me l'avez déjà répété au moins deux cents fois.

D'un geste décidé, il se chargea d'une pile de chaises. Plus vite ils en auraient terminé, plus vite Cathie pourrait se reposer.

— Où faut-il les mettre ?

Elle pointa du doigt une voiturette à laquelle était attelée une remorque. Puis, au lieu de rejoindre ses collègues qui débarrassaient le buffet, elle s'attarda pour aider Diego à démonter la tonnelle.

— Ces fleurs sont encore très jolies, remarqua-t-elle en effleurant une orchidée. C'est dommage de les jeter.

— Emportez-les pour Maria.

— Oh, non ! Je ne peux pas.

Diego haussa les épaules et détacha quelques-unes des fleurs piquées dans le tulle.

— Moi, je peux.

— Diego !

— Je sais, je sais, dit-il d'un ton faussement contrit. Je vais vous faire renvoyer.

Elle éclata de rire et lui asséna une petite tape sur le bras. Tout à coup, il se sentit incroyablement heureux de la voir retrouver sa bonne humeur.

De leur côté, les collègues de Cathie avaient terminé de tout nettoyer, et un jeune groom en uniforme vint chercher la voiturette, laissant Cathie et Diego seuls sur la plage.

— Et maintenant ? demanda Diego. Quelle mission hautement importante attend notre employée modèle ?

— Il faut que j'aille voir Maria. Ses migraines ont repris, et elle a souffert toute la journée.

— Je sais.

Comme elle levait un sourcil, il admit :

— Je suis passé la voir et je lui ai proposé un médicament, mais elle a refusé.

Cathie hocha la tête.

— Le Dr Attenburg a bien insisté sur le fait qu'elle ne devait pas prendre d'autres remèdes en dehors de ceux qu'il lui prescrit. Il craint des interactions chimiques indésirables, ou quelque chose comme ça.

Leurs précédentes conversations avaient prouvé à Diego combien le sujet était délicat, et la lueur de révolte qui venait de s'allumer dans le regard de Cathie lui fit comprendre que la jeune femme était prête à riposter. Peu désireux de se lancer dans une argumentation sans fin, il capitula.

— Portons-lui ces fleurs. Peut-être lui remonteront-elles le moral.

Cathie tendit la main pour les lui prendre.

— Je m'en occupe.

Plus rapide qu'elle, Diego mit le bouquet hors de sa portée.

— Pas question. C'est moi qui ai pris tous les risques en volant ces orchidées. Je veux au moins que le mérite m'en revienne.

Cathie soupira.

— Diego, je…

Elle hésita et se mordilla la lèvre, de ce geste adorable qui lui donnait l'envie de l'embrasser.

— Quoi ? Vous ne voulez pas que je vous accompagne ?

Sa voix comportait une note de déception qui, lorsqu'il l'entendit résonner à ses oreilles, lui sembla tout à fait ridicule.

— Ce n'est pas ça.

Doucement, elle posa la main sur son torse, et le médecin sentit son cœur s'emballer.

Troublé, il avala sa salive et emprisonna sa main dans la sienne.

— De quoi s'agit-il, alors ? Pourquoi vous comportez-vous de façon aussi étrange, ce soir ?

Un pli soucieux apparut sur le front de Cathie. Sa poitrine se souleva et retomba lourdement, dans un mouvement de consternation.

Finalement, elle secoua la tête et s'écarta, rompant le contact.

— Ce n'est rien. Allons-y. *Mama* va adorer ces fleurs, et elle vous sera reconnaissante d'y avoir pensé.

Sur ces mots, elle tourna les talons et amorça une retraite vers l'hôtel.

La gorge nouée par un étrange mélange de tristesse et d'amertume, Diego comprit qu'elle ne voulait tout simplement pas de sa compagnie. Mais elle était trop gentille pour le lui dire en face.

Il avait envie de courir derrière elle, de la toucher, mais il se raisonna.

— Cathie, appela-t-il.

Elle ralentit mais ne se retourna pas.

— A la réflexion, dit-il en la rattrapant, il faut que je passe quelques coups de fil.

Il lui tendit les fleurs en évitant de croiser son regard.

— Donnez ça à Maria et transmettez-lui mes amitiés.

A ces mots, un soulagement évident dénoua la tension des épaules de la jeune femme.

— Je n'y manquerai pas, répondit-elle.

Puis, les fleurs serrées contre elle, Cathie reprit son chemin.

Ses émotions, étouffées sur le moment, revinrent en force lorsque Diego la vit s'éloigner. Pourtant, malgré son envie de lui crier de rester, il n'en fit rien, et resta figé à regarder sa silhouette qui remontait vers l'hôtel, avec un mélange de douleur et d'incrédulité.

Il avait désiré Cathie avec une violence encore jamais éprouvée, et il devait bien s'avouer qu'il avait compté assouvir cette passion avant la fin de ses vacances. Mais la déception qu'il éprouvait n'avait rien à voir avec une quelconque frustration sexuelle, et c'était bien ce qui le déroutait le plus. Il avait envie d'elle, mais, plus encore, il avait envie d'être avec elle, d'entendre sa voix, de partager ses pensées, ses rêves et ses projets.

Et voilà que Cathie lui faisait comprendre qu'il n'était rien d'autre qu'un client. Elle avait fait son travail avec courtoisie mais indifférence. Elle aurait agi de même avec quelqu'un d'autre. Dire qu'il avait été assez stupide pour imaginer que quelque chose était possible entre eux !

Son cœur se serra en pensant à l'aveu qu'il était sur le point de lui faire. Comment avait-il pu se laisser aveugler ainsi ? Pourquoi fallait-il que, au moment où il prenait conscience de son amour pour elle, il subisse une telle humiliation ?

Soudain, sa décision fut prise. Il allait mettre un terme à ses vacances et rentrer en Californie.

9.

— Comme c'est étrange !

Cathie raccrocha le téléphone et se mordilla la lèvre. D'ordinaire, elle travaillait tous les samedis soir. Or, sa directrice, Merry Montrose, venait de lui apprendre qu'il n'y avait rien pour elle ce soir. Elle lui avait même proposé un dîner sur le yacht pour la remercier des ses bons et loyaux services.

Assise sur le canapé, Cathie se massa machinalement la cheville. Elle n'avait que faire d'un dîner. Elle avait besoin de travailler.

— Que se passe-t-il, ma chérie ? Tu sembles bien agitée.

— Je ne comprends pas qu'il n'y ait pas un extra pour moi ce soir. La saison touristique bat pourtant son plein.

— Une soirée de repos ne te fera pas de mal.

Maria pointa la jambe de Cathie de sa main frêle.

— Comment va ta cheville ?

Cathie fit doucement jouer ses articulations.

— Bien. Mais le Dr Vargas ne semble pas convaincu.

— Cet homme a des vues sur toi.

— *Mama* ! C'est faux, voyons. Il cherche juste une façon d'occuper son temps.

— Et toi, ma petite fille ? Tu occupes le temps aussi ?

Les yeux fermés pour que Maria ne puisse pas y lire la vérité, Cathie soupira et se laissa aller contre le dossier du canapé.

— Il est beaucoup trop bien pour moi.

— Ce n'est pas la question que je t'ai posée.

La voix de Maria était douce et compréhensive.

— Tu l'aimes, n'est-ce pas ?

Pas une fois Cathie n'avait menti à sa belle-mère, et elle n'avait pas l'intention de commencer aujourd'hui.

— Je crains que oui.

— Il ne faut pas avoir peur de l'amour.

— Mais je ne connais Diego que depuis un mois.

— J'ai su que le père de José était fait pour moi à la minute où je l'ai rencontré. L'amour ne prend pas rendez-vous.

Cathie soupira, en songeant combien ce serait merveilleux si sa vie était aussi simple et évidente.

Soudain, on frappa à la porte, et le cœur de Cathie fit un bond dans sa poitrine. En dépit de ses bonnes résolutions, elle espérait qu'il s'agisse de Diego.

— Livraison, annonça une voix masculine.

Cathie se leva pour ouvrir la porte. Un coursier lui tendit alors une grande boîte rectangulaire. Intriguée, elle signa le reçu et referma la porte.

— Tu as commandé quelque chose, *mama* ?

Sa belle-mère secoua la tête en signe de dénégation.

— Je me demande ce que ça peut être.

Incapable de contenir davantage sa curiosité, Cathie souleva le couvercle et écarta plusieurs épaisseurs de papier de soie.

— Oh, mon Dieu !

Le souffle coupé, elle souleva une robe de soie noire dont les bretelles étaient ornées de deux attaches en strass.

— Ils ont dû se tromper de chambre.

Fouillant dans la boîte à la recherche d'une carte, elle trouva des escarpins assortis.

Il n'y avait aucune chance que ce paquet soit pour elle, et pourtant, les étiquettes sur les chaussures et la robe indiquaient bien sa taille.

— Essaie-les vite, l'encouragea Maria. J'ai hâte de voir ce que ça donne sur toi.

Cathie secoua la tête et se précipita vers le téléphone pour appeler la réception. Ce qu'on lui apprit alors dépassait l'entendement. La tenue lui était bien destinée, mais l'employée n'était pas en mesure de lui révéler qui la lui avait envoyée.

A peine eut-elle raccroché qu'elle fut appelée par le service de chambre.

— Votre dîner sera servi à 20 heures précises, lui apprit-on.

— Mais je n'ai rien commandé !

— Quelqu'un l'a fait pour vous. Et il n'est pas question de décommander. Vous savez comment est Richie quand il a préparé quelque chose de spécial.

Que se passait-il ? Cathie avait l'impression d'avoir été happée dans un épisode de *La Quatrième Dimension*. Partagée entre la consternation et une étrange excitation, elle reposa le combiné.

— Eh bien, *mama*, je crois que nous allons nous régaler ce soir, même si nous n'avons rien commandé.

— C'est peut-être Diego.

Cette idée avait également traversé l'esprit de Cathie.

— Je devrais l'appeler. Je ne veux pas qu'il m'offre des vêtements, ou même un repas. Nous n'avons pas besoin de sa pitié.

— La pitié n'est peut-être pas le sentiment que ressent ce jeune homme.

— Vous vous trompez.

Cathie tendit la main vers le téléphone et sursauta quand la sonnerie retentit.

— Allô ?

— Cathie ? C'est Diego.

Ainsi, c'était bien lui qui avait tout manigancé.

— Diego…

Elle ne savait pas vraiment comment présenter les choses sans le blesser.

— A propos du dîner de ce soir...

— C'est pour ça que j'appelle, la coupa-t-il. La nuit dernière, j'ai eu la très nette impression que vous cherchiez à vous débarrasser de moi. Et puis cette invitation est arrivée, et j'avoue que...

— Quelle invitation ?

Décidément, Cathie n'y comprenait plus rien.

— J'accepte avec plaisir, et je vous appelais pour confirmer que je serai chez vous à 20 heures précises, habillé pour la circonstance. Qu'y a-t-il au menu ?

— Pardon ? balbutia Cathie, trop surprise pour réfléchir. Euh... je ne sais pas.

— C'est sans importance. La perspective d'un dîner aux chandelles avec vous est suffisamment alléchante. A tout à l'heure.

Le déclic du téléphone résonna à l'oreille de Cathie. Figée, elle écouta sans réagir la tonalité pendant trente bonnes secondes.

— Ce n'est pas lui, *mama*. Il pense que je l'ai invité à dîner.

Maria porta la main à son cœur.

— Magnifique ! Dépêche-toi de t'habiller.

Une idée saugrenue traversa soudain l'esprit de la jeune femme.

— C'est vous, n'est-ce pas ?

— Malheureusement, non, ma petite fille. Mais je suis heureuse pour toi. Tu as bien mérité de passer la soirée avec un bel homme qui fait vibrer ton cœur. Tu as besoin de retrouver ta jeunesse et ton insouciance, au lieu de te faire du souci pour une vieille femme comme moi.

— Taisez-vous ! Vous savez bien que vous n'êtes pas une charge pour moi.

— A quand remonte la dernière fois où tu t'es acheté quelque chose pour toi ?

— Je n'ai besoin de rien.

— C'est faux. Tu as besoin de cet homme. Et à moins que je ne comprenne plus rien à l'amour, lui aussi a besoin de toi.

— *Mama*…, commença Cathie, sur le ton de la mise en garde.

— Laisse-moi finir, mon enfant. Je me sens coupable de t'empêcher de vivre ta vie.

Maria lui adressa un clin d'œil coquin, réminiscence de la femme de caractère qu'elle était avant sa mystérieuse maladie.

— Alors tu vas me faire le plaisir de mettre notre beau docteur à tes pieds.

Le cœur débordant d'affection pour sa belle-mère, Cathie éclata de rire et capitula. L'idée de mettre un homme à ses pieds, et particulièrement Diego, était hautement improbable, mais elle ne voulait pas décevoir l'adorable vieille dame.

Penchée au-dessus d'elle, Cathie embrassa sa joue parcheminée.

— Je ne suis pas sûre de me souvenir comment séduire un homme.

Maria lui tapota la main.

— Ne t'inquiète pas. Cette robe est tellement... comment dites-vous aujourd'hui, sexy, et tu es tellement charmante, qu'il sera subjugué.

Sans même chercher à comprendre comment tout cela s'était produit, Cathie se rua sous la douche, très affolée à l'idée de passer une soirée romantique avec l'homme qu'elle aimait.

Peu importait que Diego fût un rêve impossible. Pour ce soir, Maria et elle pouvaient bien vivre un conte de fées. Et quand sonneraient les douze coups de minuit, il lui resterait ses souvenirs pour consoler son cœur brisé.

Diego resserra son nœud de cravate pour la dixième fois de la soirée avant de frapper à la porte de Cathie. Après ce qui s'était passé entre eux la veille, il ne comprenait rien à cette soudaine invitation. Mais il n'était pas homme à se perdre en conjectures. Son expérience lui avait appris que les femmes étaient aussi imprévisibles que les étoiles filantes. Pourquoi Cathie aurait-elle été différente ?

Lorsqu'elle ouvrit la porte, il sentit son pouls s'accélérer dangereusement.

Dans cette robe dont l'étoffe fluide épousait les contours de son corps voluptueux, Cathie était bouleversante de sensualité.

— Waouh ! s'écria-t-il, en se faisant l'effet d'un adolescent à son premier rendez-vous.

Cathie eut un sourire modeste.

— Merci. Je n'ai pas l'habitude de m'habiller comme ça en temps normal.

— Il vaut mieux. Si c'était le cas, la direction de l'hôtel serait obligée de placer un garde du corps devant votre porte.

Le petit rire de dérision que lança Cathie étonna Diego. Elle semblait véritablement ignorer combien elle était belle, et combien un homme serait fier de l'avoir à son bras.

Ne pas la toucher lui demanderait ce soir un extraordinaire effort de volonté.

Avec un sourire, Cathie s'effaça pour le laisser passer, et il se félicita d'avoir résisté à la tentation de la prendre dans ses bras.

— Bonsoir, Diego.

La voix chevrotante de Maria attira son attention. Comme toujours, elle était assise dans son fauteuil inclinable, les jambes couvertes d'un plaid. Son visage semblait fatigué, mais ses yeux pétillaient de plaisir. Diego se dirigea vers elle et lui prit la main.

— Comment va ma voisine préférée ?

— Beaucoup mieux maintenant que vous êtes là.

— Dans ce cas, vous allez dîner avec nous sur le balcon ?

Même s'il mourait d'envie de se retrouver seul avec Cathie, il appréciait beaucoup trop la vieille dame pour la tenir à l'écart. Et puis, sa présence en tant que chaperon ne serait peut-être pas une mauvaise idée.

— L'air frais vous fera du bien.

— Non merci, je me sens trop fatiguée.

— Mais je croyais que vous vous sentiez mieux.

— Certes, mon petit, mais je préfère aller me coucher.

Diego tourna un regard inquiet vers Cathie.

— Ses migraines ont repris ?

Si seulement elle acceptait de se laisser examiner, peut-être pourrait-il trouver un moyen de la soulager. Mais il n'était pas du genre à obliger quiconque à se soigner contre son gré. Et de plus, il ne voulait pas risquer un nouveau conflit avec Cathie.

— Oui, répondit Maria. J'ai de nouveau des maux de tête et des douleurs dans les yeux.

Cathie se laissa tomber à genoux près du fauteuil.

— Mais vous ne m'aviez rien dit ! J'aurais annulé le dîner si j'avais su.

— C'est exactement ce que je craignais. Mais rassure-toi, je me sens bien ce soir. Et maintenant, si tu veux bien me conduire à ma chambre…

Le visage enflammé de Maria et ses yeux vitreux inquiétaient Diego. Quelque chose ne convenait pas dans le traitement de la chère vieille dame et, plus il la connaissait, plus il avait des doutes sur les compétences du Dr Attenburg.

Aussi délicatement que possible, il aida Maria à se lever et l'escorta jusqu'à sa chambre, où Cathie s'agita en tous sens, jusqu'à ce que sa belle-mère leur demande de sortir à tous les deux.

Tandis qu'elle refermait la porte, un pli soucieux barrait le front de Cathie.

— J'aimerais tellement savoir quoi faire, murmura-t-elle.

En la voyant aussi inquiète, Diego s'émut. Il aurait voulu lui prendre la main, la réconforter. Mais il avait le sentiment qu'elle repousserait toute manifestation de sympathie venant de lui. Cathie aimait sa belle-mère d'un amour inconditionnel, et c'était une situation assez inhabituelle pour ne pas s'en étonner. Après Léa, il n'aurait jamais cru être de nouveau le témoin d'un tel dévouement, et il commençait à comprendre qu'il n'existait aucune limite à l'amour de Cathie.

Son cynisme, sa condescendance à l'égard des couples et sa prétendue indifférence à la vie de famille furent balayés d'un coup.

Il détourna bien vite le courant de ses pensées, comme si cette vérité le dérangeait.

Tandis qu'elle escortait Diego vers le balcon, Cathie s'efforçait de mettre son inquiétude de côté, au moins pour quelque temps. Maria voulait qu'elle passe une bonne soirée, et elle était prête à mettre tous les atouts de son côté pour la satisfaire. Demain matin, la chère vieille dame, fidèle à sa nature incurablement romantique, lui demanderait un récit détaillé de ce dîner.

— C'est splendide, déclara Diego.

Il se tenait si près de Cathie que son souffle tiède lui effleura l'oreille, provoquant en elle un tourbillon d'émotions.

La table, recouverte d'une nappe en lin et éclairée par un chandelier en argent, avait été placée au centre du balcon cerné par une balustrade en pierre blanche. Sur le côté, une desserte supportait un seau à champagne et divers plats gardés au chaud par une cloche en métal poli.

— J'ai jeté un œil au dîner, avoua Cathie. Richie s'est surpassé.

— Je le trouve très attentionné à votre égard. Je me demande si je ne devrais pas être jaloux.

Galamment, il lui avança sa chaise.

— En tout cas, je ferais peut-être bien de contrôler mon assiette avant de manger.

Cathie eut un petit rire flatté.

— Ne soyez pas bête.

C'était la première fois qu'un homme lui faisait la cour de cette manière, et elle devait bien s'avouer que l'expérience n'était pas désagréable. Devait-elle pour autant la poursuivre au-delà de ce simple dîner et donner enfin libre cours à la passion qu'elle sentait couver en elle ? Sans vraiment s'en rendre compte, elle s'était coupée des hommes et s'était réfugiée dans une sorte de cocon protecteur, où elle savait qu'elle ne risquait de mettre en danger ni sa vie, ni ses sentiments. Le moment était-il venu de prendre un risque de nouveau, en sachant qu'elle pourrait en avoir le cœur brisé ? Car la séparation aurait lieu quoi qu'il arrive, elle ne devait pas se faire d'illusions. Si elle faisait l'amour avec Diego avant son départ, parviendrait-elle à l'oublier, sa vie reprendrait-elle son cours normal, comme si rien ne s'était passé ?

Quand elle tourna la tête vers lui, le regard

qu'il posait sur elle était si intense qu'elle en eut la gorge serrée. Rougissante, elle se demanda s'il avait deviné ses pensées et, pour se donner une contenance, elle porta à ses lèvres la coupe qu'il venait de lui servir. Puis elle se creusa désespérément l'esprit pour trouver un sujet de conversation.

— Parlez-moi encore de votre famille.

Diego lui avait déjà raconté quelques anecdotes, et elle ne s'en lassait pas. Il leur arrivait toujours des choses tellement amusantes !

— Vous vous entendriez parfaitement avec Izzy. C'est une rebelle.

— C'est elle qui est médecin, n'est-ce pas ?

Cathie doutait grandement qu'une célèbre chirurgienne esthétique puisse trouver un quelconque intérêt à sa compagnie.

— Et Lucy est professeur d'histoire ?

Comme il hochait la tête, elle poursuivit :

— Avec tous ces médecins dans la famille, comment se fait-il qu'elle n'ait pas suivi cette voie ?

— Elle ne supportait pas la pression. Elle est beaucoup plus impressionnable et sensible qu'Izzy.

— Pourquoi vous êtes-vous tourné vers la médecine humanitaire, au lieu de travailler avec votre père ?

— Disons que nous n'avions pas la même vision des choses. Mon père s'est toujours cru obligé d'être le meilleur en tout, dans l'espoir de faire oublier ses origines.

— Mais votre grand-père était médecin, lui aussi. Et d'après ce que vous m'avez raconté, il était d'une excellente famille.

— Il n'en était pas moins un immigré sud-américain. Quant à ma grand-mère…

Un sourire attendri éclaira son visage.

— C'est le portrait de Maria, termina Cathie, en comprenant très bien ce qu'il voulait dire.

— Exactement. Et je crois que mon père a toujours eu un peu honte d'elle. C'est sans doute à cause de cela qu'il vénère autant l'argent et le statut social.

— Mais ce n'est pas votre cas.

— Pas du tout. Je considère d'ailleurs que ce sont plus des handicaps que des atouts.

Cathie eut un sourire moqueur.

— Pauvre petit garçon riche.

— D'accord, j'avoue que, en dehors de la misère dont j'ai été témoin dans les pays du tiers-monde, j'ignore ce qu'est le manque d'argent. Mais quand un homme possède une certaine fortune, il devient une proie. J'ai eu mon lot de désillusions, croyez-moi.

Cathie n'en croyait pas ses oreilles.

— Que me dites-vous là ?

— Tenez, un exemple : un jour, je devais avoir dix ans, j'ai entendu une camarade dire à mon meilleur ami qu'elle avait invité le « métèque » à son anniversaire uniquement parce que son père était un riche médecin et que sa maman le lui avait ordonné.

— Oh, Diego !

Spontanément, Cathie tendit le bras au-dessus de la table et lui pressa la main.

— C'est horrible pour un enfant d'entendre ça.

— Je ne savais même pas ce que voulait dire ce mot, mais j'avais compris qu'il s'agissait d'une insulte. Ce fut la première, mais pas la dernière fois qu'on m'acceptait pour ce que j'avais et non pour ce que j'étais.

— Ces idiots ne savaient pas ce qu'ils perdaient.

Une expression étonnée apparut sur le visage de Diego. Dans la lueur des bougies, ses yeux luirent comme de l'obsidienne. Il posa la main sur celle de Cathie.

— Vous êtes vraiment quelqu'un d'extraordinaire, dit-il d'une voix étrangement rauque.

Inquiète à l'idée de s'engager dans cette voie, Cathie libéra sa main et, pour mieux cacher son embarras, but une gorgée de champagne. Elle comprit aussitôt son erreur : l'alcool ne faisait qu'attiser son émotion et elle frissonna.

— Et comment vous êtes-vous retrouvé dans l'humanitaire ?

— Parce que ça ne ressemble en rien à la médecine que pratique mon père.

— Et vous aimez vraiment cette vie ? Vous n'avez pas l'intention de vous sédentariser ?

Cathie peinait à croire qu'elle avait osé poser cette question. Mais compte tenu de l'ambiance romantique qui régnait ce soir et de la disposition d'esprit dans laquelle elle se trouvait, mieux valait en avoir le cœur net avant qu'il ne soit trop tard.

— C'est la vie que je me suis choisie. Elle me correspond.

Eh bien, elle l'avait, sa réponse.

Soudain, Cathie eut l'impression qu'un poids immense pesait sur son estomac, et le somptueux repas perdit de son attrait. Au fond de son cœur, elle avait conservé un faible espoir que Diego puisse changer, et son dernier rêve s'écroulait.

Jetant sa serviette en lin sur la table, elle repoussa sa chaise et alla s'accouder à la balustrade. Le ciel se couvrit d'un seul coup de gros nuages noirs, et un vent violent se leva, charriant les effluves de l'océan tout proche. Bientôt, le temps radieux fit place à une obscurité presque totale qui la stupéfia. C'était comme si les éléments se mettaient à l'unisson de la tempête d'émotions qui faisait rage dans son cœur.

— Nous devrions rentrer, proposa Diego. Vous allez prendre froid.

Avec un humour forcé, elle répliqua :

— Vous trouvez que ma robe ne me couvre pas assez ?

— Au contraire, lui murmura Diego à l'oreille.

Puis, avant qu'elle n'ait le temps de deviner ce qu'il allait faire, il lui passa un bras autour de la taille et l'entraîna dans une valse romantique. L'air se chargeait d'une vibration sensuelle que l'un et l'autre favorisaient par une souplesse consciente des gestes, une ondulation volontaire du corps. La façon dont ils évoluaient étroitement enlacés était comme un prélude à une union plus intime et, le cœur battant à tout rompre, Cathie tremblait comme si c'était la première fois.

Soudain, Diego s'arrêta de danser et lui prit le menton dans les mains.

— J'ai terriblement envie de vous, Cathie.

— Je sais, répondit-elle d'une voix que la nervosité altérait.

Elle aussi le désirait de toutes ses forces.

— Il nous reste si peu de temps avant mon départ.

Ces mots firent à la jeune femme l'effet d'une douche froide. Quoi qu'il arrive entre eux, cela ne changerait pas la décision de Diego. Il allait partir.

— Quand ? demanda-t-elle.

— Lundi.

Des larmes lui montèrent aux yeux, qu'elle s'efforça de refouler. Plus que deux jours, et il sortirait à jamais de sa vie.

— Vous voulez bien m'accompagner dans ma suite ?

Elle hésita.

— Je ne peux pas nier que vous m'attirez, mais vous allez partir. Je ne suis pas sûre de pouvoir me contenter d'une aventure. Je veux autre chose.

Diego s'écarta avec brusquerie et la dévisagea avec horreur, comme s'il venait de prendre conscience de sa véritable nature.

— Que voulez-vous de moi, exactement ?

— Pas votre argent, rassurez-vous. Ni votre statut social.

Elle serra les bras autour d'elle pour tenter de combler le vide immense qu'elle éprouvait soudain.

— C'est votre cœur que je veux, Diego, et vous ne pouvez pas me le donner.

Sa voix diminua jusqu'à n'être plus qu'un murmure.

— Même si vous avez déjà le mien.

Il l'attira alors dans ses bras avec une telle force qu'elle en eut le souffle coupé.

— Diego…

Mais il la fit taire d'un baiser, la serrant dans ses bras avec passion, comme s'il cherchait à éveiller en elle la violence d'un désir qu'elle s'acharnait à refouler. Vibrant de tout son corps, Cathie s'agrippa à ses épaules et se laissa sombrer avec délice dans un flot de sensations éblouissantes.

Déjà, toute pensée raisonnable lui échappait, et elle ne prêta pas attention au bruit étouffé qui montait de la chambre de Maria.

Avec une brusquerie qui la fit vaciller, Diego mit fin à leur baiser et la repoussa. Que se passait-il ? Avait-il changé d'avis ?

Elle tendit la main vers lui mais il secoua la tête, lui faisant signe de se taire.

— Attendez ! lui ordonna-t-il.

Le bruit se reproduisit et, cette fois, Cathie reconnut son prénom. La voix déformée par la douleur, Maria l'appelait.

— *Mama* ! cria-t-elle, honteuse de ne pas avoir réagi plus tôt.

Elle envoya valser ses escarpins sur le balcon et se rua à travers la suite, suivie de Diego.

Maria gisait sur le sol.

— Je suis tombée, parvint-elle à murmurer. Un vertige.

En quelques gestes rapides et assurés, Diego lui prit le pouls et vérifia ses pupilles.

— Ça lui arrive souvent ?

— Non. Elle a toujours eu des migraines, mais rien d'aussi alarmant.

— Il faut la conduire à l'hôpital.
— Non.
Cathie secoua la tête.
— Emmenons-la plutôt à la clinique du Dr Attenburg.
Diego lui adressa un regard surpris.
— A cette heure de la nuit ?
— Il viendra.
Elle en était intimement persuadée. Ne lui avait-il pas répété à plusieurs reprises qu'il était le seul à pouvoir soigner Maria ?
— Vous avez son numéro ?
— Uniquement celui de la clinique, mais on le préviendra.
— Appelez-les.
Cathie s'exécuta et laissa un message avec le numéro de portable de Diego. Quelques minutes plus tard, ils se dirigeaient vers l'embarcadère en vue de prendre le ferry.
— Ce sera sûrement fermé, objecta Cathie.
— Pas pour moi, affirma Diego, qui transportait la vieille dame dans ses bras avec autant d'aisance que s'il se fut agi d'une plume.
Lorsqu'ils arrivèrent au ponton, le capitaine s'apprêtait à plier bagage.
— Nous devons aller sur le continent, cria

Cathie, d'une voix que l'inquiétude faisait monter dans les aigus.

— Je suis désolé, mademoiselle. J'ai fini ma rotation. Il faut vous adresser à un loueur privé.

— C'est une urgence, déclara Diego. Cette patiente a besoin de soins.

Déposant doucement Maria sur ses pieds, il tira son portefeuille de sa poche et en sortit une poignée de billets.

— Vous allez nous emmener immédiatement.

Le capitaine considéra l'argent d'un regard torve, puis s'anima.

— J'ai mon canot à moteur, ça ira beaucoup plus vite. De toute façon, j'allais le prendre pour rentrer.

— Allons-y !

En quelques secondes, ils furent à bord, et la vedette fila dans un rugissement de moteur sur la surface de l'eau, cependant qu'une forte houle la faisait tanguer.

Tandis qu'elle évaluait leurs chances de gagner le continent avant l'orage, Cathie sentit son appréhension prendre des proportions dévastatrices. S'il arrivait quelque chose à Maria, elle ne s'en remettrait jamais.

Diego bouillait d'envie de prendre les commandes de l'appareil.

— On ne peut pas aller plus vite ? grommela-t-il.

Le capitaine lui lança un coup d'œil agacé.

— Mieux vaut arriver en un seul morceau que pas du tout.

Sa logique était imparable. Diego sortit son portable de sa poche en priant pour avoir du réseau, et demanda un taxi pour la gare maritime. Puis il examina de nouveau Maria, qui semblait prostrée.

Son esprit étudiait sans répit toutes les possibilités, analysait les symptômes, les confrontait à des cas similaires… Il lui aurait fallu étudier le dossier médical de Maria, demander des analyses de sang. Si seulement il pouvait convaincre Cathie d'oublier le Dr Attenburg !

Il contempla à la dérobée son visage dévoré d'inquiétude et s'émut. Soudain, sa décision fut prise. Il ne pouvait pas la laisser s'enferrer dans une situation qui risquait d'être fatale à Maria.

— Ecoutez, Cathie, nous n'allons pas l'emmener chez Attenburg.

Elle sursauta.

— Comment cela ? Bien sûr que si ! Il le faut.

Il s'attendait à cette réaction. Cathie était totalement sous la dépendance de ce médecin qu'il commençait à soupçonner de charlatanisme.

— Je l'emmène aux urgences. Nous devons lui faire des analyses.

— Des analyses ? Mais vous êtes fou !

Cathie se redressa et la veste de costume dont Diego l'avait enveloppée glissa sur ses épaules.

— Elle a subi des quantités d'analyses, et personne n'a jamais rien trouvé, à l'exception du Dr Attenburg. C'est lui que nous devons aller voir.

— Cathie.

Il lui saisit le bras et la veste acheva de glisser.

— Ecoutez-moi. Je crois savoir de quoi souffre Maria.

— Non, Diego.

Cathie secoua la tête avec obstination.

— Elle est sous ma responsabilité, et je ne peux pas vous laisser interférer dans son protocole médical. Je vous en prie, essayez de me comprendre. Ce n'est pas contre vous, ou contre les autres médecins, mais le Dr Attenburg a bien insisté sur le fait qu'elle ne devait pas prendre d'autres médicaments. Les mélanges pourraient lui être fatals.

Diego n'osa pas lui dire qu'il prenait Attenburg pour un charlatan. Elle était déjà assez bouleversée comme ça.

— Faites-moi confiance, Cathie. Je connais mon métier.

Gentiment, il remonta sa veste sur les épaules de la jeune femme, qui lui tourna le dos. Les dernières minutes du trajet se firent dans un silence pesant, lourd de rancœur et d'incompréhension.

A l'arrivée au port de Locumbia, un taxi les attendait comme convenu. Diego installa Maria sur la banquette arrière, et Cathie prit place à côté d'elle.

— Ce n'est pas la peine que vous veniez avec nous, déclara-t-elle d'un ton presque agressif.

— Bien sûr que si.

Et, sans plus attendre, Diego prit place à côté du chauffeur. Il avait pris des décisions cruciales pour des centaines de gens. Il avait pratiqué la médecine dans les contrées les plus reculées de la planète. Il savait où était son devoir.

En espérant ne pas se mettre Cathie à dos pour toujours, il tendit son plus gros billet au chauffeur.

— Conduisez-nous à l'hôpital le plus proche.

— Pas question ! protesta Cathie, en communiquant aussitôt au chauffeur l'adresse de la clinique.

Mais, ainsi qu'ils le savaient tous les deux, c'était l'argent qui faisait tourner le monde.

Lorsque le taxi s'arrêta à l'entrée des urgences, Cathie éclata en sanglots. Diego sentit son cœur se déchirer. Pourtant, il avait la certitude d'avoir agi dans le meilleur intérêt de Maria.

Désireux de se justifier, il retint Cathie tandis que la vieille dame était emmenée dans un fauteuil roulant.

— Ne me touchez pas, Dr Vargas, explosa-t-elle. Je ne peux pas lutter contre votre argent ou votre diplôme, mais je vous tiendrai pour personnellement responsable s'il arrive quelque chose à Maria.

Sa lèvre frémit, et un sanglot lui échappa.

— Comment avez-vous pu me faire ça ? J'avais confiance en vous. Je vous aimais.

S'arrachant à la main qui enserrait son poignet, elle se rua dans le couloir où venait de disparaître Maria.

Elle l'aimait ?

Dans un état second, il se lança à sa poursuite.

Quelques instants plus tard, Diego avait recouvré son sang-froid et prenait les choses en main. Il s'agissait d'une question de vie ou de mort, et il ne pouvait pas se permettre de laisser ses émotions prendre le dessus.

Après avoir discuté avec l'interne — un jeune homme visiblement épuisé par un excès d'heures de garde — et lui avoir fait part de ses hypothèses, il se dirigea vers le bureau des admissions et tendit sa carte de crédit à la réceptionniste.

— Mettez tout sur mon compte. Je veux une

chambre individuelle, et tout ce qu'il y aura de mieux.

L'employée écarquilla les yeux et prit la carte d'un air déférent.

— Bien, monsieur.

Il n'abusait jamais de sa position sociale ou de son argent, mais la situation méritait une exception. Il était prêt à tout pour sauver Maria. Et pour ramener le sourire sur le visage de Cathie.

Dans quelques heures, il saurait si son diagnostic était juste. Ou s'il les avait perdues toutes les deux.

10.

Cathie se réveilla en sursaut. Elle avait fait un cauchemar horrible. Elle avait rêvé que Diego perdait la tête et faisait admettre Maria de force à l'hôpital.

Le jour filtrait par le store vénitien, et un rayon de soleil lui caressait la joue. Ouvrant les yeux, elle découvrit l'horrible vérité. Elle n'avait pas rêvé. Reliée à des machines qui bourdonnaient dans le silence, Maria était étendue entre des draps blancs, le visage livide.

Cathie fit rouler sa tête pour dénouer la tension de son cou et de ses épaules, et repoussa la couverture qui lui enveloppait les jambes. La légère robe noire qui lui avait paru tellement sexy la veille semblait tout à coup horriblement déplacée dans cet environnement angoissant.

Diego était assis à côté du lit et tenait la main de Maria. La fatigue et l'inquiétude avaient creusé son visage qu'ombrait un début de barbe bleuâtre, et le premier élan de Cathie fut d'aller vers lui pour le réconforter.

Mais elle ne pouvait oublier sa trahison. S'il arrivait quelque chose à Maria, jamais elle ne le lui pardonnerait.

Quittant le seul fauteuil confortable de la chambre, celui que Diego l'avait obligée à prendre, elle s'approcha du lit.

— Comment va-t-elle ?

Comme s'il portait tout le poids du monde sur ses épaules, Diego tourna lentement la tête pour affronter son regard accusateur. Il était si attendrissant qu'elle faillit oublier un instant sa colère contre lui.

— J'attends toujours les résultats du laboratoire.

Il s'éclaircit la gorge et se leva pour s'étirer.

— Le moins qu'on puisse dire, c'est qu'ils prennent leur temps.

Quelques heures plus tôt, il avait essayé de se justifier, de lui faire admettre qu'il savait ce qu'il faisait, et Cathie espérait de tout son cœur qu'il ait raison. Même si cela signifiait qu'elle avait eu tort de faire confiance au Dr Attenburg. Elle se moquait de ce qu'on pouvait penser d'elle, et l'argent qu'elle avait stupidement dépensé n'avait pas d'importance, pas plus que les heures où elle s'était épuisée au travail. La seule chose qui comptait, c'était que Maria se rétablisse.

— Et si vous vous trompiez ?

— C'est impossible.

Son regard noir comme la nuit croisa le sien, la maintenant captive. Elle se sentit soudain mise à nu, percée jusqu'au plus profond de l'âme et, malgré tout ce qu'elle avait à lui reprocher, elle ne pouvait rien contre le sentiment de tendresse qui l'envahissait.

— Vous me détesteriez trop, dit-il, et je ne pourrais pas le supporter.

Avant qu'elle ait le temps d'analyser ses paroles, la porte s'ouvrit et l'interne apparut, plus épuisé que jamais. Il était 7 heures du matin. Le pauvre garçon ne dormait visiblement jamais.

— J'ai les résultats, annonça-t-il.

Cathie retint son souffle, tandis que Diego se crispait.

— Et ? demanda-t-il.

Un sourire fatigué étira les lèvres du jeune médecin.

— Vous aviez raison.

Diego poussa un soupir de soulagement.

— Merci, mon Dieu.

Cathie éclata en sanglots et se laissa tomber contre lui. Il referma les bras autour d'elle et la berça doucement.

Le médecin employa des termes techniques auxquels Cathie ne comprenait rien, mais cela lui était égal. Diego ne s'était pas trompé. Maria allait guérir.

Les deux hommes discutèrent du traitement, et elle les laissa faire, enfin rassurée. Diego ne l'avait pas trahie, finalement. L'amour qu'elle éprouvait pour lui prit une nouvelle dimension tandis qu'elle prenait conscience des risques qu'il avait pris la veille pour sauver Maria.

Lorsque l'interne quitta la pièce, Diego déposa un baiser sur la joue de Cathie et s'écarta. Arrachée au rempart protecteur de ses bras, elle ressentit une étrange sensation de froid et de vide.

— Vous m'en voulez toujours ? demanda-t-il d'un air inquiet.

— Non, au contraire, je vous suis reconnaissante. Il fallait beaucoup de courage pour agir comme vous l'avez fait hier soir.

Elle se rapprocha, en proie à une envie irrésistible de se blottir contre lui.

— Je vous ai entendu parler de LHP. De quoi s'agit-il exactement ?

— Leptospirose humaine persistante.

Cathie frissonna.

— Rien que le nom a l'air horrible.

— Ça se soigne, rassurez-vous. C'est un virus fréquent dans les pays du tiers-monde, mais assez peu connu aux Etats-Unis. C'est ce qui m'a troublé. Les symptômes étaient évidents, mais j'étais loin de penser à ça.

— Pourquoi les analyses n'ont-elles jamais révélé l'infection ?

— Tout simplement parce que les médecins sont passés à côté. Comme je vous l'ai dit, les cas sont très rares dans notre pays.

Il se passa la main sur le visage, visiblement à bout de forces.

— La guérison est possible grâce à un traitement antibiotique bien spécifique, expliqua-t-il. Malheureusement, les gélules d'Attenburg ont provoqué d'autres problèmes, de l'anémie en particulier. Mais rassurez-vous. Là aussi, il existe des solutions.

— Je suis tellement désolée d'avoir douté de vous !

Diego eut un sourire compréhensif.

— C'est bien normal. Moi aussi, j'ai douté à un moment.

— Je ne sais pas comment je pourrai vous remercier pour m'avoir obligée à affronter la vérité.

Une tendre lueur s'alluma dans le regard de Diego.

— Je crois que j'ai une idée. Venez ici.

Soudain, il lui prit le menton entre les mains et plongea son regard dans le sien.

— J'ai rêvé, la nuit dernière, ou vous m'avez dit que vous m'aimiez ?

Cathie s'efforça de dissiper la boule d'émotion qui lui nouait la gorge.

— J'espérais que vous n'y aviez pas fait attention.

Doucement, Diego repoussa une mèche de cheveux qui tombait sur le front de la jeune femme et lui embrassa le bout du nez.

— Pas fait attention ? Alors, c'est vrai ?

Dans un soupir, elle répondit :

— Oui, c'est vrai.

A la fois soulagé et ravi, Diego l'attira dans ses bras et posa les lèvres sur les siennes.

— Je t'aime, murmura-t-il quand leurs bouches se séparèrent. Je t'aime tellement.

Il l'aimait ! Cathie faillit en perdre le souffle.

— C'est vrai ?

— Tu es la femme que je cherche depuis toujours. Je ne le savais pas avant hier soir. Je croyais ne rien souhaiter d'autre qu'une aventure de vacances. Et puis, j'ai compris que je ne pourrais plus jamais me passer de toi.

Nichée au creux de son épaule, Cathie buvait ses paroles, sans oser croire encore totalement à son bonheur.

— Veux-tu m'épouser ?

Cathie crut que toutes ses fonctions vitales s'arrêtaient. Elle ne pouvait plus respirer, ne pouvait plus faire un geste. Son cœur lui-même semblait s'être arrêté de battre. Et puis, tout à coup, Maria laissa échapper un faible gémissement, et la réalité se rappela cruellement à elle.

— C'est mon rêve le plus cher, mais je ne peux pas, déclara-t-elle en repoussant Diego.

La douleur qu'exprima alors son regard lui déchira le cœur. Elle l'aimait, elle souhaitait plus que tout l'épouser, quitte à renoncer à la vie sédentaire à laquelle elle aspirait, mais elle n'en avait pas le droit.

— Explique-moi.

— Je t'aime, Diego. Mais Maria a besoin de moi. Je ne peux pas l'abandonner.

La tension de ses épaules se relâcha et il éclata de rire.

— C'est tout ? Mais enfin, ma chérie, jamais je n'exigerai de toi que tu abandonnes Maria. Je l'aime comme une seconde grand-mère.

Cathie secoua la tête, désespérée qu'il ne comprenne pas.

— Je te suivrai n'importe où, Diego, mais Maria est trop âgée pour voyager. Sa santé est trop fragile. Elle a besoin d'un environnement stable.

Un sourire triomphant éclaira le visage de Diego.

— Si je trouve une solution, accepteras-tu de m'épouser ?

— Il n'y a pas de solution.

— Vas-tu enfin m'écouter, au lieu de faire ta tête de mule ?

Affichant une mine contrite, Cathie hocha la tête.

— Cette nuit, j'ai eu le temps de réfléchir à ma vie. Je n'ai pas envie de devenir un vieil homme solitaire et aigri. A quoi sert la liberté sans amour ?

Levant les bras, il fit passer le lien de cuir au-dessus de sa tête et le glissa au cou de Cathie.

— Il est temps pour moi de changer de vie. Un vieil ami m'a proposé de diriger une clinique privée au Texas. Il me harcèle depuis des jours pour que je lui donne une réponse.

Eperdue de bonheur, Cathie serra très fort la croix d'argent entre ses doigts.

— Ne fais pas ça uniquement pour moi. Tu finirais par me le reprocher.

— Même si tu me répondais non, ce que je ne souhaite évidemment pas, ma décision est prise.

Lentement, il prit les mains de Cathie entre les siennes et s'éclaircit la gorge.

— Je t'aime, Cathie. Epouse-moi. Sois ma compagne, mon amie et mon amante pour toujours.

Un mouvement se fit dans le lit à côté d'eux. Maria ouvrit les yeux et parvint à esquisser un sourire.

— Dis-lui oui, ma petite fille. Ou bien c'est moi qui vais l'épouser.

— Oh, *mama* !

Cathie se détourna pour déposer un baiser sur le front de la vieille dame, puis elle revint se blottir dans les bras de Diego.

— Si tout le monde se ligue contre moi, alors je suis bien obligée de dire oui.

Épilogue

Merry Montrose était particulièrement fière d'elle.

Coiffée d'un immense chapeau de paille, des lunettes noires sur les yeux, elle étendit ses jambes sur sa chaise longue et laissa le soleil réchauffer ses rhumatismes. Elle se sentait étonnamment en forme, et elle n'était pas loin de croire que le succès possédait des vertus thérapeutiques. En effet, elle pouvait dire sans forfanterie qu'elle nageait dans le succès. Un nouveau couple venait d'annoncer ses fiançailles. Enfin, ce n'était pas vraiment officiel car ces deux-là étaient de fieffés cachottiers, mais Cathie lui avait donné son congé et avait mentionné son prochain mariage avec le beau Dr Vargas.

De son poste d'observation sur la plage, elle pouvait les voir déambuler sur le sable blanc.

Main dans la main, ils ne cessaient d'échanger des sourires et des regards de tendresse, et leur amour ne faisait aucun doute.

Merry soupira d'aise. Grâce à elle, un nouveau couple s'était formé. Mais elle ne devait toutefois pas s'endormir sur ses lauriers. Balayant la plage du regard, elle chercha qui pourraient être les prochaines victimes de ce complot amoureux que lui avait imposé tante Lissa. Plus que trois couples à former, et elle pourrait dire adieu à ce corps douloureux.

Son regard se posa sur Paris Hammond. Non, pas elle. Qui pourrait bien tomber amoureux d'une telle furie ?

Détournant la tête, elle surprit le baiser passionné qu'échangeaient à cet instant le riche et beau Dr Vargas et son ancienne femme de chambre.

L'incroyable pouvoir de l'amour se jouait de tous les obstacles. Alors, pourquoi pas…

Afin de mieux exprimer sa modernité et de vous séduire encore davantage, votre collection Or a changé de couverture et de nom depuis le 1er mars 1995.

Rassurez-vous, les romans, eux, ne changent pas, et vous pourrez retrouver dans la collection **Amours d'Aujourd'hui** tous vos auteurs préférés.

Comme chaque mois, en effet, vous y attendent des héros d'aujourd'hui, aux prises avec des passions fortes et des situations difficiles...

COLLECTION
AMOURS D'AUJOURD'HUI :
Quand l'amour guérit des blessures de la vie...

Chère lectrice,

Vous nous êtes fidèle depuis longtemps?
Vous venez de faire notre connaissance?

C'est pour votre plaisir que nous avons imaginé un rendez-vous chaque mois avec vos auteurs préférés, vos AUTEURS VEDETTE dans les collections Azur et Horizon.

Les AUTEURS VEDETTE vous donneront rendez-vous pour de nouveaux livres vedette.

Pour les reconnaître, cherchez l'étoile... Elle vous guidera!

Éditions Harlequin

LE FORUM DES LECTEURS ET LECTRICES

CHERS(ES) LECTEURS ET LECTRICES,

VOUS NOUS ETES FIDÈLES DEPUIS LONGTEMPS?

VOUS VENEZ DE FAIRE NOTRE CONNAISSANCE?

SI VOUS AVEZ DES COMMENTAIRES, DES CRITIQUES À FORMULER, DES SUGGESTIONS À OFFRIR, N'HÉSITEZ PAS... ÉCRIVEZ-NOUS À:

LES ENTERPRISES HARLEQUIN LTÉE.
498 RUE ODILE
FABREVILLE, LAVAL, QUÉBEC.
H7R 5X1

C'EST AVEC VOS PRÉCIEUX COMMENTAIRES QUE NOUS ALLONS POUVOIR MIEUX VOUS SERVIR.

DE PLUS, SI VOUS DÉSIREZ RECEVOIR UNE OU PLUSIEURS DE VOS SÉRIES HARLEQUIN PRÉFÉRÉE(S) À VOTRE DOMICILE, NE TARDEZ PAS À CONTACTER LE SERVICE D'ABONNEMENT; EN APPELANT AU (514) 875-4444 (RÉGION DE MONTRÉAL) OU 1-800-667-4444 (EXTÉRIEUR DE MONTRÉAL) OU TÉLÉCOPIEUR (514) 523-4444 OU COURRIER ELECTRONIQUE: AQCOURRIER@ABONNEMENT.QC.CA OU EN ÉCRIVANT À:

ABONNEMENT QUÉBEC
525 RUE LOUIS-PASTEUR
BOUCHERVILLE, QUÉBEC
J4B 8E7

MERCI, À L'AVANCE, DE VOTRE COOPÉRATION.

BONNE LECTURE.

HARLEQUIN.

VOTRE PASSEPORT POUR LE MONDE DE L'AMOUR.

La COLLECTION AZUR
Offre une lecture rapide et
stimulante
poignante
exotique
contemporaine
romantique
passionnée
sensationnelle!
COLLECTION AZUR...des histoires d'amour traditionnelles qui vous mènent au bout monde!
Cinq nouveaux titres chaque mois.
GEN-RP-R

Composé et édité par les
éditions Harlequin
Achevé d'imprimer en janvier 2006

à Saint-Amand-Montrond (Cher)
Dépôt légal : février 2006
N° d'imprimeur : 53098 — N° d'éditeur : 11912

Imprimé en France